Les très riches heures de la civilisation française

EXPOSÉ DES PRINCIPAUX FAITS
DE L'HISTOIRE, DE LA LITTÉRATURE ET DES ARTS
AUX DIFFÉRENTES ÉPOQUES DE LA VIE FRANÇAISE.

Jacques Gengoux

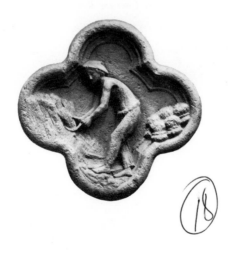

LIBRAIRIE-ÉDITIONS MALLIER
SAINT-AQUILIN-DE-PACY (EURE)

1970

Sous le titre :

Détail des Travaux des mois. Juillet : La moisson.
Bas-relief de la cathédrale d'Amiens (XIIIe siècle).

Page 5

Coupe en verre, par Marinot, exposée au Musée Galliera vers 1920, Paris.

Frontispice, page 6 :

« ... à chaque époque sa vérité ». Travaux des mois.
Fresque de la chapelle de Pritz à Laval (Mayenne).
Fin XIIe siècle — début XIIIe siècle.

*

Rédaction et présentation :

BENGT SEGERSTEDT
GODELIEVE MARTENS

Les cartes ont été dessinées par

JAN ALFREDSSON

Dépôt légal : 2e trimestre 1970. Printed in France.

La culture est l'ensemble de toutes les formes d'art, d'amour et de pensée qui, au cours des millénaires, ont permis à l'homme d'être moins esclave.

ANDRÉ MALRAUX

Si je défends ma patrie, c'est en tant qu'elle représente une civilisation, des concepts, un langage, un certain type d'homme.

ANTOINE DE SAINT-EXUPÉRY

Les Très Riches Heures de la Civilisation Française *ont été éditées une première fois en* 1959 *par la Radiodiffusion-Télévision Suédoise qui leur a consacré une série de programmes et de montages radiophoniques.*

Malgré son grand nombre d'exemplaires, la première édition n'a pas tardé à être épuisée. Destinées d'abord à la seule Suède, ces Très Riches Heures *ont également été adoptées par un certain nombre d'Institutions et d'Universités d'autres pays. Il a donc paru opportun de rééditer et de diffuser plus largement un ouvrage dont la formule — un chapitre par « moment » de la civilisation française, complété par des tableaux analytiques et synoptiques, permettant la lecture ou l'étude comparative — semble répondre à un besoin assez général.*

Le texte a été complété, de nouvelles illustrations ont été ajoutées surtout en ce qui concerne les vingt dernières années. Que toutes les personnes qui ont prêté leur concours à l'illustration, à la présentation et à la correction de l'ouvrage veuillent bien trouver ici l'expression de notre chaleureuse gratitude.

TABLE DE

MATIÈRES

Miniature des « Très riches heures du duc de Berry », par les frères de Limbourg, originaires de la Gueldre et gloire
de l'École dite de Bourges. La scène, qui illustre le mois de juin, représente des paysans aux champs devant le palais
des rois de France et la Sainte-Chapelle de Paris (XVᵉ siècle). Les trois « états » — noblesse, clergé, tiers-état — qui ont
si longtemps caractérisé la civilisation française sont ici évoqués.

A LA DÉCOUVERTE DE LA CIVILISATION FRANÇAISE

Quel mot — de l'enfance à l'âge mûr — éveille au cœur des hommes plus de nostalgie et d'énergie que celui de *découverte?*

Ah! que le monde est grand à la clarté des lampes!

CHARLES BAUDELAIRE

TROIS SORTES DE DÉCOUVERTES

Enfant, qui n'a joué à Christophe Colomb et découvert des terres inconnues? Plus âgés, nous avons éprouvé à notre manière, la joie d'un Newton ou d'un Debussy découvrant l'un une nouvelle loi de la science, l'autre un nouveau frisson musical. Dans d'autres circonstances enfin, le mot découverte a pris pour nous un troisième sens que nous n'avions pas encore soupçonné, un sens plus profond que celui de découverte géographique, de découverte scientifique ou de découverte artistique : la découverte d'un *être...* Tel homme — compagnon, penseur, poète — nous avions cru pendant des années que nous le « connaissions bien », et voici que brusquement nous le « connaissions ». C'était comme si notre regard, fixé attentivement sur son visage, croyait l'apercevoir pour la première fois : au-delà de toutes les paroles, une rencontre avait eu lieu — un ami *se découvrait* à nous dans sa vérité et *nous découvrions* avec ravissement le *sens* vrai de ses actes, son vrai visage.

11

« Découvrir » la civilisation française, qu'est-ce ? C'est faire la découverte... d'une découverte ! En effet, une civilisation est avant tout le *sens* qu'un groupe d'hommes a spontanément donné au monde, sa façon bien à lui de le découvrir et de le sentir. La civilisation française, nous croyons peut-être la « bien connaître », comme nous croyions connaître, avant le vrai contact, tel ou tel de nos amis. Mais autre chose est de savoir une masse de faits, autre chose d'en saisir le sens. Un des grands représentants de cette civilisation, Saint-Exupéry (dont nous parlerons), a rappelé que les « grandes personnes» (celles qui croient « bien connaître ») sont souvent moins perspicaces que celles qui ont gardé l'esprit d'enfance :

Quand vous leur parlez d'un nouvel ami, elles ne vous questionnent jamais sur l'essentiel. Elles ne vous disent jamais : « Quel est le son de sa voix ? Quels sont les jeux qu'il préfère ? Est-ce qu'il collectionne les papillons ? » Elles vous demandent « Quel âge a-t-il ? Combien a-t-il de frères ? Combien pèse-t-il ? Combien gagne son père ? » Alors seulement elles croient le connaître.

De cet « essentiel », comment s'approcher ? Le renard le dit au petit garçon :

Voici mon secret. Il est très simple : on ne voit bien qu'avec le cœur. L'essentiel est invisible aux yeux... Il faut être très patient... Le langage est source de malentendu. Mais chaque jour, tu pourras t'asseoir un peu plus près.

CE QUE CHAQUE ÉPOQUE A VOULU

Ce recueil n'est donc pas une collection d'historiettes, pas davantage un manuel d'histoire (même s'il s'appuie sur l'histoire et essaie d'en caractériser les principaux moments). Il ne présuppose aucune théorie sur « l'âme du peuple », aucune croyance naïve au Progrès, aucune hiérarchie des causes économiques, sociales ou politiques. L'essentiel ici est de tâcher de comprendre la mentalité plus ou moins générale d'un peuple à une époque donnée, mentalité qui se manifeste aussi plus ou moins nettement et plus ou moins simultanément dans les arts et l'action; en d'autres termes, nous essayerons de comprendre ce que chaque époque — celle d'un Saint Louis, d'un Villon, d'un Richelieu, d'un Voltaire, etc. — a regardé comme vrai et beau, ce qu'elle *était*.

A CHACUNE SA VÉRITÉ

Chacune des époques de la civilisation française prend une forme imprévisible. Les parcourir, c'est comme feuilleter un livre de « *Très Riches Heures* » auquel divers artistes auraient collaboré : leur ordre chronologique n'est pas nécessairement un ordre progressif et chacune a *sa valeur propre*. Mais s'il est vain de les définir comme étapes d'un progrès, elles révèlent pourtant — qu'elles soient autoritaires ou révolutionnaires, guerrières ou pacifistes — certains traits communs, un air de famille.

AIR DE FAMILLE

Quels sont ces traits communs? Gardons-nous bien de les énumérer pour le moment : nous croirions les « bien connaître »! Il s'agit d'abord de prendre contact avec cette civilisation, de faire l'effort — qui en vaut la peine — de déchiffrer ses témoignages. Ceux-ci ont été choisis avec soin, non pas uniquement en fonction de leur beauté mais dans la mesure où ils étaient représentatifs de la mentalité du temps et reconnus comme tels par leurs contemporains. Regardons-les avec attention, sans nous laisser effrayer par la difficulté : « Il faut être très patient, dit le renard... » Alors, au terme du voyage, nous découvrirons peut-être — sous le voile des textes, des faits historiques et des œuvres d'art — un visage d'une émouvante douceur, au regard fraternel et incomparable : le *vrai* visage de la civilisation française.

Légionnaire romain et guerrier gaulois défendant sa hutte. Époque gallo-romaine. Cette sculpture — encore toute romaine d'esprit — montre un Gaulois à longue chevelure et à la tunique à manches longues, armé de l'épée, et une habitation en bois et en terre mélangée de paille. Sous l'effet des invasions, l'esthétique romaine avec son souci du portrait et de l'individuel va disparaître, remplacée par l'art géométrique et linéaire des barbares ou par l'influence de l'hiératisme byzantin.

FORMATION DE LA FRANCE

INTRODUCTION

A quelle heure de l'horloge historique allons-nous commencer ? Parlerons-nous d'abord des *Gaulois* dont le dernier héros, Vercingétorix, lutte contre César jusqu'à la mort (46 avant J.-C.) ? Mais de ces Gaulois ce que nous connaissons surtout, c'est la civilisation *gallo-romaine*, première esquisse de l'esprit français : pendant 6 ou 7 siècles — dont certains fort troublés — la Gaule adopte les mœurs, le droit et les religions des Romains. Vient alors la troisième composante, les *Francs*, une tribu germanique qui dès le IIIᵉ siècle et surtout aux Vᵉ et VIᵉ — en compagnie d'autres Barbares — plonge la future France dans l'anarchie avant de l'aider à en sortir. Et pour être complet il faudrait citer les Grecs de Marseille et d'Agde, les Bretons, les Burgondes, les Normands et d'autres races qui se sont fondues dans le creuset français. Plus tard enfin d'autres peuples d'Amérique, d'Afrique et d'Asie — sans parler de la Belgique et de la Suisse romande — adopteront cette civilisation qui dépasse donc de loin les limites géographiques de la France. Heureux mélange qui aidera la civilisation française à ne pas confondre patriotisme et racisme biologique, à rayonner sur l'Europe comme à s'enrichir des apports étrangers ! C'est ainsi que certains de ses traits sont devenus, en partie et plus ou moins selon les cas, des traits communs à toutes les civilisations occidentales.

Il est vrai que la géographie prédestinait la France à l'unité, et à une unité ouverte sur le monde. Non seulement ses frontières — comme celles de l'Espagne — sont presque toutes des frontières naturelles, mais, de plus, elle se situe au carrefour de l'Europe, en contact par deux mers et par la percée du Rhin

COMPOSANTES DE LA CIVILISATION FRANÇAISE :

Gaulois, Romains, Germains, et autres peuples

Tête d'un des apôtres. Détail de sarcophage du IVᵉ ou Vᵉ s. Dans la sculpture gallo-romaine du Vᵉ s. apparaît quelquefois un pathétisme qui semble annoncer l'inspiration romane ou gothique.

RÔLE DE LA POSITION GÉOGRAPHIQUE

15

A gauche. Amphithéâtre de Vaison-la-Romaine. Créant ses villes et imposant ses lois, Rome métamorphose le sol et l'âme de la Gaule. — *A droite.* Église mérovingienne de Germigny-des-Prés (Loiret), construite en 806 sur le modèle des édifices byzantins.

avec ses voisines : l'Allemagne, l'Angleterre, l'Italie, l'Espagne et même avec les pays nordiques. Privilège dont l'inconvénient sera d'exposer la France à deux appels souvent inconciliables : celui de l'Océan et celui de la Méditerranée.

GENÈSE DE LA FRANCE

Dans le chaos des invasions ce sont les évêques qui se font les protecteurs du peuple. L'Église triomphe au ve siècle lorsque l'Empire romain disparaît. Clovis se convertit (496) et l'Église utilise la force barbare pour sauver le plus possible de l'administration et de la civilisation romaines.

A gauche

Suaire de Sainte Colombe, à la cathédrale de Sens (VIIIe s.). Broderie à animaux stylisés selon l'esthétique barbare, elle-même empruntée à la lointaine Asie. L'humanisme gallo-romain est vaincu.

A droite

L'évangéliste Luc, évangéliaire breton du IXe s. Les figures païennes sont bien oubliées. L'art ne représente plus, il signifie; il détruit l'apparence pour en faire pressentir le sens caché et en imposer le mystère.

16

Après Clovis les frontières de la « Francie » ne cessent de changer et la misère de s'accroître. En 732, Charles Martel sauve la Francie — identique alors à la Chrétienté — de l'invasion des Musulmans, puis Charlemagne (768-814) est couronné « roi des Francs » (le mot « Francs » étant plutôt un souvenir du passé, car, parmi ses peuples, les vrais Francs ne sont qu'une toute petite minorité).

En fait, la seule unité du royaume était celle de la foi. En 842, deux petits-fils de Charlemagne, Charles le Chauve et Louis le Germanique, prêtent chacun en sa langue le fameux *Serment de Strasbourg*, premier texte qui nous montre l'existence d'une langue romane distincte du latin. L'empire est alors partagé en trois royaumes : l'Europe prend figure.

Charlemagne, roi des Francs (742-814). Statuette en bronze du IXe s.

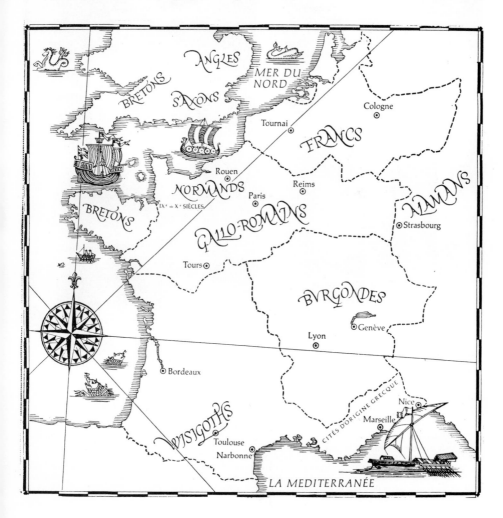

17

La communion du chevalier (Cathédrale de Reims XIIIᵉ s.). Le chevalier n'est pas le résultat du patriotisme romain ni de la fidélité barbare. Il existe par la fidélité au serment qu'il a prêté au Christ et que le Christ a accepté. Dans la société féodale du XIIIᵉ siècle, fortement hiérarchisée et où chacun a sa fonction providentielle, le Christ apparaît comme le Roi-Chevalier idéal, celui dont Saint Louis, le roi le plus puissant de l'Europe, est une si parfaite image. Le visage couronné du Christ n'exprime plus seulement, comme dans l'église de Moissac (voir p. 22) la majesté et la grandeur ; il s'humanise et signifie les hautes vertus de douceur, de force et de justice que le peuple pouvait prêter au roi de France (voir ci-contre Saint Louis et p. 23 le Christ couronné de Reims).

I

L'HEURE DE LA CHEVALERIE

XIᵉ – XIIIᵉ SIÈCLES

On définit souvent le moyen âge comme l'époque de la *féodalité* et du *servage*. Le servage avait commencé pendant la décadence de l'Empire romain au IIIᵉ siècle, mais il prend vraiment forme au IXᵉ siècle. A ce moment ont lieu les expéditions scandinaves, d'une cruauté inouïe. Les seigneurs sont obligés de se défendre par leurs propres moyens, car le pouvoir central est faible. Ils ont ainsi l'occasion de renforcer leur autorité sur leurs sujets. Un fossé de plus en plus profond sépare alors d'une part les nobles ou chevaliers, d'autre part les paysans et les habitants des villes. La transformation est favorisée par l'invention (au VIIIᵉ siècle) de l'étrier et du fer à cheval qui donne à la cavalerie l'importance qu'avait eue jusqu'alors l'infanterie. Le vrai guerrier sera celui qui possède un cheval et a appris à le manier, le noble *chevalier*.

Au Xᵉ siècle, les invasions prennent fin : la « Normandie » a été cédée aux Vikings. En 987, Hugues Capet est nommé roi de France, mais que son pouvoir est limité! Plus importantes que cette nomination sont 1) la fondation du monastère de Cluny (910) qui va rayonner sur l'Europe, 2) la conquête de l'Angleterre par les Normands (1066), qui étaient alors complètement francisés.

Au XIIᵉ siècle, les villes se libèrent du pouvoir des seigneurs, souvent aidées en cela par les rois de France. Après ce bref rappel des événements, nous pouvons nous poser la question : que représentait au XIIᵉ siècle le mot « France »? Non point sans doute exactement ce qu'il représente aujourd'hui, mais pourtant, déjà, une réalité bien plus concrète qu'au temps de Charlemagne. Deux témoignages :

Saint Louis, statue en bois du XIIIᵉ s. Non point un portrait (le portrait ne se développera qu'à l'Heure suivante) mais l'expression du Roi-Chevalier.

19

En 1124, l'empereur Henri V d'Allemagne essaie d'envahir la France. Une immense armée se réunit spontanément autour du roi, et Suger, le grand ministre de Louis VI, écrit :

Les grands du royaume disaient entre eux : Marchons hardiment aux ennemis : qu'ils ne rentrent pas dans leurs foyers sans avoir été punis et ne puissent pas dire qu'ils ont eu l'orgueilleuse prétention d'attaquer la France, la maîtresse de la terre.

Et du midi de la France — où régnait alors la civilisation provençale, l'une des plus brillantes et des plus humaines que l'Europe ait connues — une des femmes les plus puissantes et les plus intelligentes de son temps, la vicomtesse Ermengarde de Narbonne, écrit au roi de France, au moment où l'Anglais la menace :

Nous sommes profondément attristés, mes compatriotes et moi, de voir la région où nous sommes exposés par votre absence — pour ne pas dire par votre faute — à passer sous la domination d'un étranger qui n'a pas sur nous le moindre droit.

Nous ne risquons donc pas de nous tromper en citant, comme manifestation de l'esprit de la civilisation française, une œuvre écrite au début du XIIe siècle et qui nous est parvenue en dialecte anglo-normand, universellement admirée à son époque : la *Chanson de Roland*. Ce qui vient d'être dit permettra de comprendre la valeur du mot « France » même s'il est mis dans la

Guillaume le Conquérant à Hastings, le 14 octobre 1066. Tapisserie de la reine Mathilde à Bayeux (vers 1080).

bouche de personnages qui ont vécu plusieurs siècles auparavant.

Le point de départ — que la légende a transformé — est un simple combat du VIIIe siècle (778) où l'arrière-garde d'une armée de Charlemagne est attaquée et massacrée par des montagnards basques chrétiens. A ces Basques, le poète (inconnu) substitue des Sarrasins. Il invente le personnage d'Olivier, ami de Roland, et explique leur attaque inattendue par une trahison du beau-père de Roland, Ganelon.

Quand il se voit attaqué par une immense armée, Olivier veut appeler l'empereur Charles à l'aide, mais Roland, emporté par sa bravoure et par un sentiment démesuré de l'honneur, refuse : « En douce France, j'en perdrais mon renom », dit-il. Olivier insiste par trois fois, mais Roland invoque l'honneur familial, féodal et national :

Roland est preux [= courageux] et Olivier est sage. Tous deux ont une merveilleuse vaillance : puisqu'ils sont à cheval et en armes, même pour la mort, ils n'esquiveront [= n'éviteront] pas la bataille. Braves sont les comtes et leurs paroles hautes. Les païens félons [= traîtres] chevauchent en grande fureur. Olivier dit : « Roland, voyez leur nombre, ceux-ci sont près de nous, mais Charles est trop loin. Votre olifant [= cor d'ivoire], vous n'avez pas daigné le sonner ; le roi serait ici et nous n'aurions pas de dommage ».

Évidemment, les Sarrasins l'emportent ; Roland veut alors sonner du cor pour avertir Charles. Cette fois, c'est Olivier qui refuse : il est trop tard !

« CHANSON DE ROLAND »

Séraphins, chapiteau à Saint-Benoît-sur-Loire (XIe s.). Au Xe siècle la sculpture avait disparu. Elle renaît ici, encore chaotique, enfantine, sans style propre.

21

« Roland est preux... »
— Roland, Cathédrale de Vérone. Milieu du XIIe s.

Le comte Roland voit qu'il y a grande perte des siens; il appelle Olivier, son compagnon : « Beau sire, cher compagnon, pour Dieu, que vous en semble ? Voyez tant de bons vassaux qui gisent [= sont couchés] à terre ! Nous pouvons plaindre France la douce, la belle : de tels barons elle reste déserte [= privée]. Ah! roi, mon ami, que n'êtes-vous ici ? Olivier, frère, comment pourrons-nous faire ? Comment lui mander [= communiquer] de nos nouvelles ? » Olivier dit : « Je ne sais comment l'appeler. Mieux vaut mourir que d'attirer sur nous la honte ».

Les deux amis se querellent :

« Par ma barbe », dit Olivier, « si je puis revoir ma gente [= noble] sœur Aude, vous ne serez jamais dans ses bras!... Compagnon, c'est vous le responsable, car la vaillance sensée n'est pas la folie : mieux vaut mesure que présomption [= orgueil]. Les Français sont morts par votre légèreté. »

22

L'archevêque Turpin les réconcilie. Roland sonnera du cor.
Ainsi l'empereur pourra au moins les venger. Olivier, le premier, est frappé à mort :

Il a tant saigné que ses yeux sont troublés. Ni loin ni près il ne peut
voir assez clair pour reconnaître homme mortel. Il rencontre son
compagnon et le frappe sur son haume gemmé d'or [= casque
orné d'or] : il le lui tranche jusqu'au nasal [= partie couvrant le
nez], mais il n'a pas atteint la tête. A ce coup, Roland l'a regardé
et lui demande doucement, amicalement : « Sire compagnon, l'avez-
vous fait exprès ? C'est moi, Roland, qui vous aime tant ! Vous ne
m'aviez pourtant pas défié [= averti que vous alliez m'attaquer] ».
Olivier dit : « Maintenant je vous entends parler. Je ne vous vois
pas : que le Seigneur Dieu vous voie. Je vous ai frappé, pardonnez-le
moi ! » Roland répond : « Je n'ai pas de mal. Je vous pardonne ici
et devant Dieu. » A ces mots ils s'inclinent l'un vers l'autre. C'est
en tel amour qu'ils se séparent.

« ... et Olivier est sage »
— Olivier, cathédrale de
Vérone. Milieu du XIIᵉ s.

23

Voici le début de ce passage en vieux français :

> *Tant ad seinet li oil li sunt trublet.*
> *Ne loinz ne près ne poet vedeir si cler*
> *Que reconoistre poisset nuls hom mortel.*
> *Sun cumpaignun, cum il l'at encuntret,*
> *S'il fiert amunt sur l'elme a or gemet,*
> *Tut li detranchet d'ici que al nasel;...*

Puis, c'est la mort de Roland : il se rappelle ses conquêtes, la douce France et Charlemagne :

A gauche
Arcs-boutants du chœur
de la cathédrale du Mans
(1217-1254).

A droite
Le chœur de la cathédrale
de Sées (dernier quart du
XIIIᵉ siècle.).

...il ne peut s'empêcher d'en pleurer et d'en soupirer. Mais il ne veut pas s'oublier lui-même; il bat sa coulpe [= se frappe la poitrine] et demande à Dieu merci [= pardon] : « Vrai Père, qui jamais ne mentis, qui ressuscitas Lazare et sauvas Daniel des lions, sauve mon âme de tous les périls et des péchés que j'ai faits en ma vie. »

Ganelon, le traître, sera affreusement torturé et — le droit romain n'est pas encore pleinement rétabli — trente de ses parents pendus !

A l'amour la *Chanson de Roland* ne consacre que peu de lignes, mais combien significatives! Quand Charlemagne propose à Aude, la fiancée de Roland, d'épouser son fils Louis, Aude répond :

« Cette parole m'est étrange. Ne plaise à Dieu ni à ses saints ni à ses anges, qu'après Roland je demeure vivante. » Elle perd la couleur, tombe aux pieds de Charlemagne : elle est morte. Dieu ait pitié de son âme. Les barons français en pleurent et la plaignent.

Telle est la première en date et la plus belle des nombreuses épopées que les trouvères *chantaient* à travers toute la France. Nous approchons de l'époque de *l'amour courtois*, qui juxtapose au service du souverain celui — respectueux, discret et exalté — de la femme admirée et aimée. Ce dernier est surtout mis en honneur dans la civilisation provençale (ellemême influencée par la littérature arabe). On ne peut guère exagérer la splendeur de cette civilisation qui sera écrasée dans le sang par le pape Innocent III et les Français du Nord. Mais

AMOUR COURTOIS

Le mois de mai. Bas-relief de la cathédrale d'Amiens (XIIIᵉ s.). *A gauche* : Homme écoutant le rossignol perché sur la plus haute branche. *A droite* : Le signe du zodiaque.

elle transmettra son héritage à l'Italie : Saint François d'Assise chantera en provençal et l'Italie de Dante se formera à l'école de la Provence.

Dans la France du Nord la conception méridionale de l'amour courtois (nécessairement adultère) est remaniée et nuancée par Chrétien de Troie dans d'admirables romans à thèse où le poète veut montrer d'une part que seul le don du cœur justifie celui du corps, d'autre part qu'il n'y a pas opposition entre « l'aventure » (service de la société) et « l'amour », entre le service du souverain et celui de la dame. Bien plus, c'est « la prouesse » généreuse qui provoque l'amour, comme c'est l'amour qui engendre la prouesse.

Ainsi dans *Erec et Enide*, son premier grand roman, Chrétien présente Erec, fils de roi, tombant amoureux d'Enide, jeune fille pauvre et de petite noblesse mais belle et généreuse. Après quelques prouesses qui ont justifié et confirmé cet amour, Erec amène Enide, devenue sa fiancée, à la cour du roi Arthur :

> Erec prend congé de son hôte
> Car il lui tardait à l'extrême
> D'arriver à la cour du roi.
> Son aventure l'emplit de joie ;
> Il s'en réjouit tellement
> A cause de sa si belle amie,
> Sage, courtoise et généreuse.
> Il n'en détache pas son regard,
> Plus il la regarde, plus elle lui plaît ;
> Il ne peut s'empêcher de l'embrasser,
> Reste avec plaisir auprès d'elle :
> La regarder est son repos.
> Il admire sa tête blonde,
> Ses yeux rieurs et son front clair,

Le nez, le visage et la bouche :
Une grande douceur touche son cœur.
Il admire tout jusqu'à la hanche,
Le menton et la gorge blanche,
Flancs et côtés, et bras, et mains.
Mais la demoiselle, elle aussi,
Admire tout autant le jeune homme
— Sincèrement et de cœur loyal —
Qu'il le faisait sans cesse lui-même.
Ils n'auraient pas pris de rançon
Pour cesser de se regarder.
Ils étaient tout à fait égaux
En courtoisie et en beauté
Et en grande générosité.
Ils étaient tellement semblables
Par l'être, les mœurs, le caractère,
Que quiconque, cherchant le vrai,
N'aurait pu désigner le meilleur,
Ni le plus beau, ni le plus sage.
Leurs âmes étaient égales
Et ils se convenaient l'un à l'autre.
Jamais deux si belles créatures
N'assembla la loi de mariage.

A peine marié cependant, Erec oublie ses compagnons, néglige l'action pour jouir de l'amour. Enide s'attriste de la paresse de son époux, lequel la surprend en larmes et l'oblige à lui en

Page du Psautier de Saint Louis et de Blanche de Castille. La Trinité : le Père et le Fils assis, l'un et l'autre bénissant et tenant un livre ; entre les deux, le Saint-Esprit dans un nuage, sous la forme d'une colombe.
D'abord exécutée par des moines, la peinture sur parchemin ou miniature devient, à l'époque de Saint Louis, la spécialité d'artisans laïcs. L'école de Paris rayonne sur l'Europe entière et, particulièrement sur la Flandre qui, pendant la Guerre de Cent Ans, recueillera ses artistes et développera, dans le ens réaliste, sa tradition culaire.

révéler la cause. Aussi part-il avec elle — elle, son égale — en quête d'exploits toujours plus désintéressés, au terme desquels la confiance et l'estime mutuelles sont rétablies. L' « aventure » (ou service de la Société) a donc été provoquée par l'amour, et l'amour s'est raffermi grâce à l'admiration et à l'estime réciproques.

Mais revenons à notre épopée, pierre angulaire de la littérature française, pour la comparer rapidement aux épopées germaniques : Beowulf, Nibelungen. Elle n'a pas leur lyrisme, ni leur caractère sauvage, gigantesque, fantastique. Son originalité réside dans l'intérêt porté à l'homme et à sa psychologie. Ici, comme plus tard dans Racine, l'intrigue ne dépend pas d'abord d'une fatalité ou d'événements extérieurs, elle est dirigée par le *caractère* et la *liberté* des personnages. Comme dans la tragédie grecque, la faute vient de la *démesure* — d'une hybris — mais la grandeur se hausse jusqu'au repentir. Ces héros sont des hommes : ils aiment, pleurent, éprouvent une infinie tendresse pour la « douce France », pour « France la libre », comme pour leurs amis et leurs chefs. On y voit déjà apparaître ce que nous constaterons être — sinon toujours dans la pratique, au moins dans l'idéal — les constantes de la civilisation française et de sa littérature : *respect du faible, délicatesse dans l'amitié, condamnation de l'excès* (même s'il est dans la ligne de l'honneur) *au profit de la mesure.*

Évidemment cette « douce France » de Roland, nous l'avons dit, ne coïncide ni géographiquement, ni dans la nuance de patriotisme qu'elle suppose, avec la France actuelle. Ce patriotisme est encore, dans une large mesure, affaire de *fidélité personnelle* à un souverain et il englobe encore plus ou moins la chrétienté. Jeanne d'Arc déjà, nous le verrons, s'en fera une idée assez différente. Mais ce qu'il importe de souligner, c'est que non seulement le patriotisme mais toute la conception de la vie chevaleresque d'un Roland et d'un Olivier ont réellement passé dans les faits. Un seul nom le prouve, celui d'un homme qui a incarné l'idéal de tout son temps : Saint

Louis, le Roi Chevalier. A lire Jean de Joinville (1224-1317) et ses historiettes sur son ami le roi, on comprend que Roland et Olivier ont fait école.

Bornons-nous à cet épisode où éclatent à la fois la piété du roi, la familiarité et la loyauté de son ami, puis la délicatesse de Saint Louis qui attend d'être seul avec Joinville pour lui faire gentiment la leçon :

« Maintenant je vous demande, dit le roi, ce que vous aimeriez mieux : être lépreux ou avoir fait un péché mortel ? » Et moi, qui jamais ne lui mentis, je lui répondis que j'aimerais mieux en avoir fait trente que d'être lépreux. Et quand les Frères [= les moines présents à l'entretien] furent partis, il m'appela tout seul, me fit asseoir à ses pieds et me dit : « Comment m'avez-vous dit cela hier ? » Et je lui répondis que je le disais encore ; alors il me dit : « Vous avez parlé avec la légèreté d'un étourdi, car il n'est pas de lèpre aussi horrible que d'être en état de péché mortel... Je vous prie donc, dit-il, de toutes mes forces, de disposer ainsi votre cœur, pour l'amour de Dieu et de moi, que vous aimiez mieux voir n'importe quelle disgrâce frapper votre corps, lèpre ou toute autre maladie, plutôt que de laisser le péché mortel pénétrer en votre âme. »

Quant à la paysannerie et à la bourgeoisie, elles ne s'expriment que tardivement. Regardées de fort haut dans l'épopée, le roman courtois, les fabliaux, elles prennent leur revanche dans *le Roman de Renart* (vers le XIIIᵉ s.) où le monde des animaux, image de la société existante, critique les grands avec ironie et malice, et en dénonce les hypocrisies. Proprement citadin est le théâtre de Jean Bodel et d'Adam de la Halle, si plein de fantaisie et de réalisme. Enfin, le *Roman de la Rose*, dans sa deuxième et plus importante partie, celle de Jean de Meung

Noble tient sa Cour.
D'un manuscrit de la fin
du XIIIᵉ siècle.

Premier art national de la France, l'art roman connaît une grande diversité selon les provinces (il utilise même parfois la coupole et les charpentes). L'art roman témoigne plus de la grandeur mystérieuse de Dieu que de l'amitié royale du Christ. Mais, par le mouvement des lignes et l'humanisation des gestes, il fait pressentir et amène en cinquante ans l'art humano-divin de la chrétienté : l'art gothique. (La cathédrale d'Angoulême.)

LA PENSÉE ET
LES ARTS

L'art roman

L'art gothique

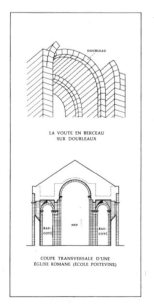

DOUBLEAU

LA VOUTE EN BERCEAU
SUR DOUBLEAUX

BAS-
COTÉ   NEF   BAS-
COTÉ

COUPE TRANSVERSALE D'UNE
ÉGLISE ROMANE (ÉCOLE POITEVINE)

(vers 1270), propose, au terme de l'Heure de la Chevalerie, une vision du monde naturiste, pessimiste et hardie, qui nie les valeurs de la classe dominante et introduit à l'Heure nouvelle, celle de la bourgeoisie et du Temporel.

Qu'importe devant de pareils types humains la rapide décadence de la chevalerie en tant qu'institution! L'esprit s'était manifesté. Il s'était affirmé dans la pensée des grands philosophes et théologiens de Paris, à commencer par Abélard, à l'intelligence si hardie et le vrai fondateur spirituel de la Sorbonne. L'heure avait assisté à la création de l'art *roman* (Cluny) et à celle bien française de l'art *gothique*. On discute encore beaucoup de nos jours le « sens » propre de ces deux arts ; certains n'y voient que deux solutions différentes à un problème technique de construction, d'autres l'expression de deux mentalités religieuses et sociales. En fait, la technique se met ici au service de l'esprit. L'Église romane se caractérise sans doute par sa *voûte en berceau* très lourde qui suppose des murs épais, assez bas, avec peu de fenêtres; d'où, l'ornementation avec fresques. Le gothique, lui, remplace la voûte en berceau par la *croisée d'ogives* qui fait porter le poids de la voûte sur les quatre colonnes d'appui : les murs peuvent donc s'élever, laisser place à de magnifiques vitraux; les colonnes sont soutenues par des *arcs-boutants*. L'ensemble comme le détail de l'église gothique allie, surtout en France,

L'art gothique naît dans le nord de la France. La cathédrale gothique, prière de toute la cité, monte e plus haut possible vers le ciel (invention du clocher en flèche). Son plan, comme ses sculptures et ses vitraux, accueillent toute la création, la reproduisent plus fidèlement que l'art roman mais transfigurée par son appartenance au Christ. (Notre-Dame
de Paris.)

la logique la plus rigoureuse à la fantaisie la plus exquise :
les statues elles aussi, encore très « symboliques » dans l'art
roman, se rapprochent du modèle humain, sans perdre pourtant leur style relativement impersonnel et sacré. C'est que,
à l'époque et dans les milieux de l'art gothique, la religion,
comme la condition sociale, est devenue plus lumineuse et
plus personnelle.

C'est cette heure également qui assiste aux inventions des
troubadours (Midi de la France) et des *trouvères* (Nord de la
France) et surtout à la création de la *polyphonie* (chant à
plusieurs voix simultanées) où s'illustre Pérotin le Grand
(XIIIe siècle).

Du XIIe au XVIIe siècles les seuls grands noms de la musique
sont franco-belges ou anglais (l'Angleterre cultivée parle français à cette époque, grâce aux Normands), et quand l'Italie
prendra le départ, au XVIe siècle, ce sera sous la tutelle des
Franco-Belges. Ainsi, sauf en Espagne où fleurit une tradition
originale, aucune grande voix harmonieuse ne s'élève alors
en Europe qui ne soit formée par la civilisation française.
Dès ses débuts la musique française se développe selon son
génie propre. Elle tombera en décadence à la fin du XVIIIe siècle,
mais retrouvera ses caractères originaux, une fois qu'elle se
sera dégagée de l'influence romantique allemande. Elle se
reconnaîtra la plupart du temps à *l'équilibre entre l'esprit
et le cœur*, à la méfiance du désordre et des troubles de l'instinct,
à la « précision mise au service de la délection ».

La musique

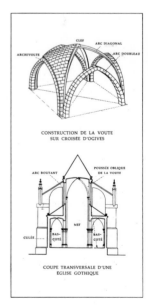

CONSTRUCTION DE LA VOUTE
SUR CROISÉE D'OGIVES

COUPE TRANSVERSALE D'UNE
ÉGLISE GOTHIQUE

31

Faits politiques, économiques et sociaux	Littérature
Préhistoire — La future Gaule est occupée par les *Ibères*, les *Ligures*, etc., et plus tard par les *Celtes* (vi-iie siècles). **Vers -600** — Des *Grecs* s'établissent sur la côte méditerranéenne : Marseille, Arles, Monaco, puis Nice, Antibes, Agde, etc. **-121** — *Rome* conquiert une partie du Midi de la Gaule (Provence) (voir la carte). **De -58 à -51** — *Conquête de la Gaule par César.* Ensuite, création de villes, de routes et d'écoles. **257** — *Première grande invasion germanique;* nombreuses villes détruites. **313** — *Edit de Milan* qui établit la liberté religieuse. Puis, Constantin fonde Constantinople (ancienne Byzance) qui devient capitale de l'Empire. Son fils Constantin II, né à Arles, est empereur d'Occident. **Du IIIe au VIe siècle** — Les *Barbares* s'installent d'abord pacifiquement, puis (après 400) par la conquête : Francs, Wisigoths, Burgondes, Alamans, Bretons, etc. Déclin des villes. **476** — L'Occident est séparé de l'Orient. **481-511** — Le roi des Francs, *Clovis*, s'allie à l'Église. Ses fils réunifient la plus grande partie de la Gaule. **511-751** — *Mérovingiens* (= descendants de Clovis). La Gaule se morcelle à nouveau. Le servage remplace graduellement l'esclavage. Les moines, surtout irlandais, cultivent les terres. **Du VIIIe au XIe siècle** — L'invasion *musulmane* arrête les communications par la Méditerranée. Gêne pour le commerce et les villes, jusqu'à l'époque des Croisades. **732** — Charles Martel (grand-père de Charlemagne) arrête les Arabes à Poitiers. **752** — Avènement des *Carolingiens* (= descendants de Charles Martel). **768-814** — Règne de Charlemagne qui prend le titre d'Empereur (800). Renaissance de certaines idées romaines malgré les influences germaines et barbares. **842-843** — *Serments de Strasbourg* et *Traité de Verdun :* l'Empire est partagé entre les petits-fils de Charlemagne. La France commence à prendre forme. **IXe et Xe siècles** — Nouvelles invasions — *hongroises, sarrasines* et surtout *scandinaves.* Terreur et ruines. Féodalité. **911** — L'actuelle *Normandie* est cédée aux Vikings. **987** — Avènement des *Capétiens.* Hugues Capet proclamé roi de France. La Féodalité, commencée aux ixe et xe siècles, s'affermit. **1019** — Des Normands conquièrent le Sud de l'Italie et la Sicile. **1066** — *Conquête de l'Angleterre par les Normands* : le français devient la langue de culture de l'Angleterre. Rivalité des rois de France et d'Angleterre. **1095** — *Première Croisade* organisée par le pape français Urbain II et prêchée par Pierre l'Ermite. **1156** — *Deuxième Croisade,* prêchée par Saint Bernard. **XIIe et XIIIe siècles** — Renaissance des *villes* et formation d'une *noblesse héréditaire,* issue de la féodalité. La monarchie française unifie plus de la moitié de la France actuelle. **1208-1225** — Deux croisades contre les *Albigeois* (Midi de la France). La civilisation provençale est sauvagement détruite. **Vers 1220** — *Paris* devient le centre réel de la France. **1226-1270** — *Saint Louis* (= Louis IX), idéal du roi chevalier dans tout l'Occident. Il meurt à Tunis pendant la 8e et dernière Croisade. Apogée du régime féodal et de la Chevalerie.	**A la fin du IVe siècle** on parle en Gaule le *latin vulgaire,* bien différent du latin relativement classique de l'Église. **Aux VIe et VIIe siècles** la Gaule parle une langue qu'on appelle le *roman* et qui diffère au Nord (future langue d'oïl — oïl = « oui ») et au Sud (future langue d'oc — oc = « oui »). **Au VIIIe siècle** on distingue nettement le latin, langue morte, du roman, langue parlée. Le roman du Nord deviendra le français (1er témoignage écrit en 842 : *Serments de Strasbourg*). Les premiers textes littéraires datent du ixe siècle. **Du IXe au XIIIe siècle,** la féodalité favorise la formation de dialectes. Ils constituent *l'ancien français* (picard, wallon, lorrain, normand, anglo-normand, poitevin, francien). Tous les noms ont encore deux cas : sujet — li murs objet — le mur Dans le midi, *l'ancien provençal.* Abondante littérature en latin : spiritualité et philosophie. **Aux XIe et XIIe siècles,** l'idéal nouveau de la Chevalerie, favorisé par le régime féodal et l'enthousiasme des Croisades, donne naissance à *l'épopée française* : la plus ancienne de ces épopées est la « Chanson de Roland » (composée probablement vers 1100). Il en existe une centaine, ayant de 600 à 6000 vers : « Huon de Bordeaux » , les « Aliscans », « Renaut de Montauban », etc. — mais, malgré leurs différences, elles forment un « monde épique » bien caractérisé : idéal de vie active et guerrière, de gloire et d'honneur (tantôt pour, tantôt contre le souverain), de mesure surtout — les plus exaltés se repentent presque toujours au moment de la mort. Ces épopées étaient chantées. **Dès 1150,** apparaît à côté, puis à la place du premier, un idéal nouveau : la *courtoisie.* Le héros n'est plus d'abord un guerrier mais un galant homme. Influence bretonne (p. ex. dans « Tristan et Yseult », raconté par *Thomas,* puis par *Béroul* et dans l'œuvre de *Marie de France*), provençale (troubadours) et gréco-latine. L'ancien service féodal devient un service de l'aimée; l'amour suppose l'admiration réciproque, une quasi-adoration de la femme, la discrétion et le respect. Ex : « Erec », « Cligès », « Lancelot », « Perceval » qui inaugure le cycle du Graal. L'écrivain courtois le plus génial est *Chrétien de Troyes* (compose entre 1165 et 1190) : il a le goût de l'analyse psychologique et des idées, le sens des nuances. Il est à la fois inspiré et adroit. Sa gloire en France et à l'étranger est immense. **Vers 1150** — *historiens-poètes* écrivant en prose (Wace, etc.) et premiers *chroniqueurs* : Geoffroy de Villehardouin, Robert de Clari et surtout *Jean de Joinville* (1224-1317). **Aux XIe et XIIe siècles,** la poésie *lyrique* — courtoise ou populaire — est représentée dans les pays de langue d'oc (Midi) par les *troubadours,* puis dans les pays de langue d'oïl (Nord) par les *trouvères* (voir « Musique »). **Au XIIe et surtout au XIIIe siècle** — premiers témoignages de littérature *bourgeoise* : fabliaux, « Roman de Renart », jeux (= pièces) de *Jean Bodel,* d'*Adam de la Halle* et poésies de *Rutebeuf.* **Au XIIIe siècle** — littérature *didactique* : « Roman de la Rose » 1re partie : *Guillaume de Lorris* (1225-1240) : aimable « art d'aimer ». 2e partie : *Jean de Meung* (1275-1280) : encyclopédie sans ordre, attaques contre les femmes et les moines. --- Architecture, sculpture, peinture (*suite*) des églises byzantines et remplace en partie la peinture romane. Au XIIIe siècle, les enluminures sont faites aussi par des laïcs; l'école de Paris a une réputation universelle (psautiers, Bibles moralisées.)

Architecture, sculpture, peinture, etc,	Musique

Iᵉʳ et IIᵉ siècles — *Épanouissement de l'art romain et gallo-romain.* Grandes constructions : Pont du Gard (50), Arènes de Nîmes (IIᵉ siècle), etc.
Puis, lente décadence.

Du VIᵉ au IXᵉ siècle — *Art mérovingien.*
Influence de l'art barbare (lui-même emprunté par les Germains à l'Asie) et de l'art oriental (Syrie, Égypte), orfèvrerie et thèmes géométriques — manuscrits.
L'art barbare, comme l'art irlandais apporté par les moines, est à l'opposé de l'art humaniste gréco-romain : l'homme n'y est plus guère qu'un prétexte à ornement.
La technique gréco-romaine de l'architecture est perdue.

Début du IXᵉ siècle — *Renaissance carolingienne.*
Influence de Byzance : église de Germigny-des-Prés et palais d'Aix-la-Chapelle.
Miniature et orfèvrerie, ivoires. Renaissance de la forme humaine.
Les enluminures influenceront la peinture et la sculpture romanes.

Fin du Xᵉ au XIIᵉ siècle — *Art roman.*
Premier art national de la France, malgré la grande diversité entre provinces. De plus en plus, cet art, élaboré sous les influences orientales et barbares, s'en dégage.
Il abandonne la rigidité byzantine pour le *mouvement* des lignes et l'*humanisation* des gestes. De Cluny surtout (en Bourgogne), l'art roman se répand dans la vallée du Rhin (Spire, Mayence, Worms), en Angleterre (par les Normands) et en Espagne.
Malgré son progrès vers le mouvement et l'humain, l'art roman est encore un art du *sacré :* le symbole y occupe une grande place (p. ex. les couleurs et les lignes y ont une signification précise, sans rapport avec l'impression visuelle); le peintre des fresques romanes veut peindre le *vrai*, non ce qu'il regarde comme une imperfection de son œil : il représente minutieusement les détails d'objets trop éloignés, supprime la perspective qui, selon lui, fait paraître les objets plus petits qu'ils ne sont, il déforme volontairement la proportion des parties du corps pour en marquer la signification. Enfin, il use souvent du symbole : main représentant Dieu, animaux représentant les évangélistes, etc. La majorité des scènes peintes ou sculptées traduit une réalité invisible : images de l'Ancien Testament, jugement dernier, etc. Dieu semble encore relativement *séparé* de l'homme : la Passion du Christ est rarement représentée. (Vézelay, Autun, N.-D.-la-Grande de Poitiers, Angoulême, Saint-Sernin de Toulouse, Saint-Nectaire etc., puis monastères de l'ordre de Cîteaux, plus austères, reproduits dans toute l'Europe.)

Fin du XIIᵉ au XIIIᵉ siècle — *Art gothique.*
Plus de hardiesse et de légèreté : la voûte sur croisée d'ogives remplace la voûte en berceau roman.
La *sculpture*, moins symbolique, *incarne* davantage le divin dans tout ce qui est humain : métiers, saisons, gestes familiers, nature. Le sourire et les larmes apparaissent.
L'art gothique traduit l'idéal d'une religion où le Christ et la Vierge se rapprochent de l'homme : piété *encore collective* mais imprégnée de douceur et où chaque individu a sa fonction irremplaçable.
De la France du Nord (cathédrales de Laon, Paris, Chartres, Reims, Amiens, Beauvais, etc.) l'art gothique se propage en Alsace (Strasbourg), en Espagne (Burgos) et en Allemagne. C'est ainsi que les plus parfaites des cathédrales allemandes, Bamberg et Naumburg, ont les prototypes de presque toutes leurs statues à Reims : l'imitation est parfois caricaturale, parfois géniale. Le gothique anglais évoluera de façon plus indépendante. L'idée d'une origine germanique des arts roman et gothique est aujourd'hui totalement abandonnée.
Le *vitrail* est l'une des plus belles créations de l'époque gothique : il tient dans la cathédrale la place des mosaïques

MUSIQUE A UNE VOIX
La musique antique, dans le bassin de la Méditerranée (Juive, Grecque et Romaine) était *homophone* (= à une voix) et pouvait être accompagnée par des instruments jouant à l'unisson. Elle n'était pas rythmée par des mesures.
Jusqu'au IXᵉ siècle la musique occidentale demeure à une voix. La musique religieuse chrétienne se méfie généralement des instruments, elle est surtout *chantée*. La musique profane accepte les instruments et est aussi *dansée*.
La musique religieuse à une voix est appelée plain-chant ou *musique grégorienne* parce que le pape Grégoire le Grand, vers 600, l'a codifiée. Elle provient de traditions juives et païennes (syriaque, égyptienne, grecque, romaine et peut-être gauloise). Elle se corrompt vers le XIIIᵉ siècle au contact de la musique profane mesurée et de la polyphonie. Son rythme est libre (= sans mesures) et souple. Comme c'est le cas dans les très vieilles musiques populaires du monde entier, les mélodies sont formées suivant certaines « formules », c.-à-d. certaines suites de notes caractéristiques sont l'objet de variations constantes. Les mélodies sont formées d'après l'une des séries suivantes à 6 notes, séries appelées « modes ».
1.   sol la *si do* ré mi
2.   do ré *mi fa* sol la
3. fa sol *la si b* do ré
Si vous faites des gammes en commençant et finissant chaque gamme par la première note d'une série donnée, vous constatez que le *mode* se caractérise par la *place* que les deux demi-tons occupent dans la gamme. A la différence de la musique moderne (au moins dans la tradition romantique allemande), qui ne connaît que deux modes (le majeur et le mineur), la mélodie grégorienne a de nombreux modes (huit selon les théoriciens du moyen âge).
Exemple de modes :
gamme en mode *majeur :* do ré *mi fa* sol la *si do*
gamme en mode *mineur :* do ré *mi b* fa sol *la b* si do
gamme en mode *grégoriens :* (voir plus haut).
gamme *chromatique :* (= gamme qui n'a que des demi-tons):
do do ♯ ré ré ♯ mi fa fa ♯ sol sol ♯ la la ♯ si do.
gamme par tons entiers (= *diatonique*) qui est aussi un « mode » : do ré mi fa sol la do
Pour sentir le « parfum » de chaque mode, improvisez au piano une mélodie simple en ne vous servant que des notes signalées dans chaque série.
La musique française, jusqu'à la Renaissance et à l'époque moderne, composera de préférence selon des « modes » plus subtils que les simples « majeur » et « mineur ».
La musique populaire à une voix est sans doute sortie du chant de l'Église. Elle devient peu à peu mesurée. Encore naïve aux IXᵉ et Xᵉ siècles, la chanson est perfectionnée à l'époque des Croisades par les *troubadours* (dans le Midi de la France) : *G. Rudel, Bernart de Ventadour*, etc., et par les *trouvères* (dans le Nord de la France) : *Conon de Béthune, Thibaud IV*, comte de Champagne, etc. Elle est reprise en Allemagne par les *Minnesänger*.
POLYPHONIE
A partir du IXᵉ siècle, à côté de la musique à une voix, populaire ou grégorienne, se forme la *polyphonie* (= superposition de plusieurs mélodies, comme p. ex. dans « Frère Jacques » ou dans une fugue de Bach). Esthétique toute nouvelle. On commence par accompagner une mélodie à la quarte inférieure ou à la quinte et à l'octave d'une façon assez mécanique. C'est le procédé dit de l'*organum*. Puis,
1150-1330 — *Premier âge de la polyphonie*
École de Notre-Dame-de-Paris avec *Léonin* et son disciple (?) *Pérotin le Grand*. C'est l'« ars antiqua ». Léonin compose pour deux voix et Pérotin pour trois ou quatre. Chacune des mélodies prend son rythme propre et plus de liberté par rapport à la mélodie de base.
Après la France et l'Angleterre (alors étroitement unies), l'Italie et l'Espagne adoptent la polyphonie.

Pietà de Villeneuve-lès-Avignon (XVᵉ s.), le chef-d'œuvre le plus « français » de cette nouvelle Heure de la civilisation. A l'Heure précédente la foi collective et liturgique s'était exprimée dans la cathédrale. Au XIVᵉ siècle se forme une nouvelle relation de l'homme avec le divin. L'accent est mis sur l'individuel et le pathétique. Le Christ est senti davantage par chacun comme son Sauveur ; il ne l'est plus autant comme Roi de la Cité. Les artistes sont de moins en moins anonymes. Dans leurs œuvres ils commencent à exprimer leur individualité.

II

L'HEURE DU TEMPOREL

XIVᵉ-XVᵉ SIÈCLES

Tournons la page. Nous voici arrivés en gros aux XIVᵉ et XVᵉ siècles. Les images de notre « Livre d'Heures » s'assombrissent. Sans doute l'esprit chevaleresque n'est pas mort, ni surtout l'héroïsme individualiste et fou de Roland. On le voit aux batailles de Crécy (1346), de Poitiers (1356), d'Azincourt (1415) où la bravoure individualiste « à la Roland » succombe devant l'organisation supérieure et la discipline des armées anglaises. Mais l'idéal catholique, c'est-à-dire universaliste et spirituel, de Roland ou de Saint Louis, sans être renié, passe au second plan : le souci du temporel devient prédominant. Les rois et le peuple de France ont affaire maintenant à deux ennemis plus dangereux que les Sarrasins du Bon Roi, à savoir la Papauté théocratique et surtout l'Angleterre.

C'est une grande date pour l'histoire de la civilisation française que celle de 1303 où Philippe le Bel, petit-fils de Saint Louis, arrête à Anagni le brutal et ambitieux pape Boniface VIII qui prétendait subordonner le pouvoir temporel au pouvoir de l'Église.

L'attitude nouvelle non pas seulement du roi mais de tous les Français se manifeste nettement en 1358 : s'ils font alors une loi qui exclut les femmes du trône, c'est pour empêcher le gouvernement de passer aux mains des Anglais. Autrement dit, au XIVᵉ siècle, il ne suffit plus d'apparaître au peuple de France comme un roi très chrétien; le roi doit encore être très français. L'idée de patrie l'emporte sur celle du lien personnel à un souverain. Et quand, en 1420, le roi Charles VI transmet ses droits à Henri V d'Angleterre, le pays se révolte. Les Etats Généraux (l'Assemblée Nationale du temps) rédigent la « Réponse d'un bon et loyal Français » :

SURVIVANCE DE L'ESPRIT CHEVALERESQUE

LE TEMPOREL DISTINGUÉ DU SPIRITUEL

DEUX ADVERSAIRES : *la Papauté et l'Angleterre*

Moïse, par Claus Sluter. Chartreuse de Champmol à Dijon. Début du XVᵉ s.

35

RÉACTION DU PEUPLE FRANÇAIS

Le Roi ne peut pas disposer de l'honneur des fleurs de lys [= insigne des rois et du royaume], honneur de la Couronne de France, parce que cet honneur des fleurs de lys appartient non pas seulement au Roi mais encore au Dauphin, aux Princes du sang, aux pairs[= seigneurs] et à toutes les communautés du royaume, à tous les habitants indistinctement; cet honneur appartient à tous, il est le privilège de tous. Par conséquent, il faudrait l'autorité de tous pour renoncer à cet honneur des fleurs de lys et nous avons, par conséquent, tous indistinctement, depuis le Dauphin jusqu'au dernier de ses sujets, le devoir de combattre l'Anglais.

RÉACTION DE JEANNE D'ARC

PERSONNALITÉ DE JEANNE D'ARC

On sent là une expression de l'esprit qui anime à la même époque Jeanne d'Arc (1412-1431). Jeanne est croyante, mais elle distingue soigneusement le temporel et le spirituel. A ses juges qui lui demandent : « Dieu hait-il les Anglais? » elle répond : « De l'amour ou haine que Dieu a pour les Anglais et ce qu'il fait de leurs âmes, je n'en sais rien; mais je sais bien qu'ils seront mis hors de France, sauf ceux qui y périront. » Réponse de bon sens et de courage, qui laisse déjà soupçonner l'extraordinaire personnalité de Jeanne d'Arc et le secret du charme qu'elle exerce sur tous ceux qui appartiennent à sa civilisation. Les étrangers s'y trompent souvent; ils croient que les Français exaltent en Jeanne la guerrière et la patriote. En fait, elle est pour eux, croyants ou athées, infiniment davantage : elle est une des fleurs les plus réussies de leur civilisation, elle incarne le *type d'humanité* qu'ils voudraient voir s'épanouir

36

en eux-mêmes et dans tous les hommes. Ils aiment son exquise simplicité, sa force d'âme, son intelligence, bref ce complexe de qualités qui caractérise les meilleures des jeunes filles et des femmes de France.

Bornons-nous ici à quelques-uns de ses mots dont l'authenticité est certaine. Quand, par exemple, ses juges lui posent la question bien subtile : « Jeanne, croyez-vous être en état de grâce ? », elle a cette réponse irréprochable : « Si je n'y suis, Dieu veuille m'y mettre; si j'y suis, Dieu veuille m'y tenir. » Une autre fois, comme un théologien à l'accent limousin lui demande quelle langue parlaient ses voix, Jeanne riposte avec humour : « Un meilleur français que le vôtre. » Jamais non plus le succès ne lui tourne la tête. Après le sacre du roi à Reims, elle déclare à l'archevêque : « Je voudrais bien qu'il plût à Dieu de me renvoyer garder les moutons avec ma sœur et mes frères... Ils seraient si joyeux de me revoir! J'ai fait du moins ce que Notre Seigneur m'avait commandé de faire. » Elle a le culte de la parole donnée. Capturée, elle refuse de jurer qu'elle ne s'échappera pas. Enfin, selon le témoignage de son page, elle pleurait en voyant les Anglais mis à mort et il lui arrivait de s'agenouiller près d'eux, leur tenant la tête et les consolant. Comme l'a écrit l'historien Michelet :

Marie-Cléophas et la tête du Christ. Sculpteur inconnu de la deuxième moitié du XVe s.

Jeanne fut douce dans la plus âpre lutte, bonne parmi les mauvais, pacifique dans la guerre même; la guerre, ce triomphe du diable, elle

37

Charles VII, roi de France (1422-1461). Portrait par Jean Fouquet (1420-1480). Le portrait, affirmation d'individualisme, se répand et pénètre même dans les églises.

l e roi René d'Anjou, par Nicolas Froment (mort en 1486). Détail du triptyque de la cathédrale Saint-Sauveur à Aix-en-Provence.

NOUVELLE SENSI-
BILITÉ :

— *La musique*

y porta l'esprit de Dieu. Elle prit les armes quand elle sut « la pitié qu'il y avait au royaume de France ». Elle ne pouvait voir couler « le sang français ». Cette tendresse de cœur, elle l'eut pour tous les hommes; elle pleurait après les victoires et soignait les Anglais blessés.

Si les hommes révèlent ce qu'ils sont (ou ce qu'ils voudraient être) par ce qu'ils admirent, il est typique de la civilisation française d'avoir fait de Jeanne son héroïne nationale.

De même que la nation affirme son originalité propre, les arts se tournent vers *l'individuel*, et l'expriment avec un *réalisme* pathétique. Comparons les œuvres rigoureuses et sereines du compositeur Pérotin (début du XIIIe) à celles de Guillaume de Machaut (1300-1377 env.) : la sensibilité s'est libérée, l'art rejoint davantage la vie concrète, le rythme se fait plus saccadé, presque « swing » a-t-on dit. Elle atteint un sommet dans les

38

La Vierge, détail de la Nativité, par le Maître de Moulins, l'un des peintres les plus purs de l'époque.

Jean Fouquet (1420-1480), portrait en émail par lui-même. C'est le plus ancien autoportrait exécuté en France.

chansons de Josquin-des-Prés (1450-1521), contemporain du poète Villon et « la fleur suprême du génie médiéval ».

Même contraste dans la peinture et la sculpture. Songeons aux portraits de Jean Fouquet (1420-1480 env.) et de son contemporain Nicolas Froment. Comparons le visage d'un Christ de Reims à celui de la Pietà d'Avignon (voir images). Quel passage là aussi du sacré et de l'éternel à l'expression d'un *sentiment personnel*, d'un moment du temps. L'architecture du gothique — devenu « flamboyant » — s'applique aux détails minutieux, travaille la pierre comme une dentelle.

Les philosophes du temps se désintéressent des vastes systèmes de l'époque précédente, entre autres de la doctrine de Saint Thomas appelée le thomisme; ils interrogent l'expérience. Sous l'influence des écrits juifs et arabes, le scepticisme se répand. Jean Gerson (1363-1429) — chancelier de l'Université

— *La peinture et la sculpture*

— *La pensée*

39

de Paris, prédicateur, savant et mystique, l'un des esprits les plus complets qui aient précédé la Renaissance, homme d'une admirable indépendance de jugement, qui eut le courage de reconnaître la mission de Jeanne d'Arc — Jean Gerson oriente la piété chrétienne vers plus d'affectivité, mais sans les excès de mysticisme qui alors se multipliaient. Plus concrètes également deviennent l'histoire et la pensée politique avec les chroniqueurs Froissard et Commynes.

— *La littérature*

Mais le témoignage peut-être le plus émouvant de cette évolution vers les valeurs terrestres et temporelles est apporté par la littérature. Dans l'œuvre de François Villon, ce bohème de génie, c'est le peuple de France — et non plus seulement comme dans la *Chanson de Roland* sa chevalerie ou son clergé —

qui proclame son amour de la patrie et qui crée des chefs-d'œuvre. Avant de triompher en François Rabelais (voir page 49), cet *esprit populaire* s'était déjà manifesté à l'Heure de la Chevalerie par exemple dans le Roman de Renart ou avec Rutebeuf (mort en 1280), Adam de la Halle et Jean de Meung, mais il s'épanouit maintenant en pleine lumière. Certes, l'aristocratie conserve et même affine les sentiments d'un Roland pour la France. Ainsi le duc Charles d'Orléans, exilé, écrivait :

FRANCOIS VILLON

> En regardant vers le pays de France,
> Un jour m'advint[1], à Douvres, sur la mer,
> Qu'il me souvint de la douce plaisance[2]
> Que je souloie au dit pays trouver[3].

Mais comme lui et avec plus de force, Villon chante

> Jeanne la bonne Lorraine
> Qu'Anglais brûlèrent à Rouen.

Il maudit

> Qui mal voudrait au royaume de France[4]
> Car, digne n'est de posséder vertus,
> Qui mal voudrait au royaume de France!

François Villon, dans l'édition Pierre Lavet, (1489).

[1] = il m'arriva un jour, [2] = du doux plaisir, [3] = que j'avais coutume de trouver en ce pays,
[4] = celui qui voudrait du mal au royaume...,

41

Enfin, c'est dans ses Ballades que se traduit avec le plus d'intensité le nouveau mode de sensibilité que nous venons de constater dans les arts et dans la forme du patriotisme de l'époque. La fameuse *Ballade des Pendus* (composée par Villon alors qu'il s'attendait réellement à être pendu) témoigne d'un *réalisme* et d'une *psychologie* que la littérature française n'avait encore jamais exprimés avec une telle force. Villon s'imagine déjà pendu et il s'adresse aux spectateurs :

Frères humains, qui après nous vivez,
N'ayez les cœurs contre nous endurcis,
Car, si pitié de nous pauvres avez[1],
Dieu en aura plus tôt de vous merci[2].
Vous nous voyez ci[3] attachés cinq, six;
Quant de la chair[4], que trop avons nourrie,
Elle est piéça[5] dévorée et pourrie,
Et nous, les os, devenons cendre et poudre[6].
De notre mal personne ne s'en rie[7];
Mais priez Dieu que tous nous veuille absoudre!

Si frères vous clamons[8], pas n'en devez
Avoir dédain, quoique fûmes occis[9]
Par justice. Toutefois vous savez
Que tous hommes n'ont pas le sens rassis[10];
Excusez-nous, puisque nous sommes transis.
Envers le fils de la Vierge Marie,
Que sa grâce ne soit pour nous tarie,
Nous préservant de l'infernale foudre.
Nous sommes morts, âme ne nous harie[11];
Mais priez Dieu que tous nous veuille absoudre !

La pluie nous a bués[12] et lavés;
Et le soleil desséchés et noircis;
Pies, corbeaux nous ont les yeux cavés[13]
Et arrachés la barbe et les sourcils.
Jamais, nul temps nous ne sommes assis;
Puis ça, puis là, comme le vent varie,
A son plaisir sans cesser nous charrie
Plus becquetés d'oiseaux que dés à coudre,
Ne soyez donc de notre confrérie;
Mais priez Dieu que tous nous veuille absoudre!

Prince Jésus, qui sur tous a maistrie,[14]
Garde qu'Enfer n'ait de nous seigneurie :
A lui n'ayons que faire ni que soudre.[15]
Hommes, ici n'a point[16] de moquerie ;
Mais priez Dieu que tous nous veuille absoudre !

Épitaphe dudit Billon
Freres humains qui apres nouʒ viues
Nayeʒ les cueurs contre nouʒ endurcis
Car se pitie de nouʒ pouureʒ aueʒ
Dieu en aura pluſtoſt de vous mercis
Uous nous voies cy ataches cinq ſiʒ
Quāt de la chaʒ q trop auōs nourrie
Elle eſt pieca deuouree et pourrie
et no⁹ les os deuenōs cēdres τ poulſdʒe
De noſtre mal perſonne ne ſen rie
Mais prieʒ Dieu que tous nous ſueil
le abſoulſdʒe   g iii.

Les Pendus, page de l'édition de 1489.

[1] = si vous avez pitié de nous, pauvres (notez que dans l'ancien français le pronom personnel sujet s'emploie assez rarement devant les verbes), [2] = pitié, [3] = ici, [4] = Quant à la chair, que (nous)..., [5] = déjà, [6] = poussière, [7] = ne se moque (subj. : « que... »), [9] = tués, [8] = appelons [10] = solide [11] = tourmente (subjonctif) [12] = lessivés, [13] = nous ont crevé les yeux. [14] = domination [15] = payer [16] = il n'y a point.

Début de la ballade dans le français du temps (comparer avec la *Chanson de Roland*, page 24) :

> *Frères humains qui après nous vivez,*
> *N'ayez les cuers contre nous endurciz,*
> *Car, se pitié de nous pauvres avez,*
> *Dieu en aura plus tost de vous merciz.*
> *Vous nous voyez cy attachez cinq, six :*
> *Quant de la chair, que trop avons nourrie,*
> *Elle est pieça dévorée et pourrie,*
> *Et nous, les os, devenons cendre et pouldre.*
> *De nostre mal personne ne s'en rie :*
> *Mais priez Dieu que tous nous vueille absouldre!*

Vers de piété, voisins d'autres d'une inspiration plus charnelle et tout aussi individualisée.

En conclusion, cette « très riche heure » de la civilisation française, si différente de la précédente, est pourtant loin de la contredire. Le moi *national* et le moi *individuel* s'affirment davantage, et pourtant, malgré les misères de la guerre de Cent Ans (voir page 35), on retrouve la même douceur, la même pitié et une résistance encore plus marquée contre les oppressions et les conventions.

VERS LE MOI NATIONAL ET LE MOI INDIVIDUEL

Dames jouant du « positif ». Tapisserie du XVᵉ s. « Le fond des âmes du XVᵉ siècle reste pessimiste et mélancolique. L'harmonie de la Renaissance ne se fera sentir que lorsqu'une génération nouvelle aura appris, tout en faisant usage des formes de l'Antiquité, à s'approprier son esprit... mais c'est de l'âme du moyen âge même que sont sortis les temps nouveaux » (J. Huizinga).

Faits politiques, économiques et sociaux	Littérature

Début du XIVe siècle — La France est presque entièrement unifiée. Renaissance de l'État. Difficultés financières parce que l'économie française demeure domestique et familiale. La monarchie française n'arrivera jamais à la transformer en une économie publique : c'est, pour une bonne partie, l'origine de la Révolution de 1789. Influence croissante des banquiers et de l'opinion publique : le roi doit demander l'argent à ses sujets (origine des États Généraux). Le Parlement (= classe des hommes de lois) se constitue.

1285-1314 — *Philippe le Bel* lutte contre le pape Boniface VIII qui prétendait avoir le droit de déposer les rois. Influence des légistes (= défenseurs du droit romain impérial).

1305 — La papauté s'installe à Avignon.

1337 — *Début de la guerre dite de Cent Ans*
— entre la France et l'Angleterre. Le roi d'Angleterre réclame la couronne de France.
— entre Français partisans de l'Angleterre (Bourguignons) et partisans du roi de France (Armagnacs) après 1410.

1358 — Jacqueries (= révoltes des paysans contre les nobles).

1415 — Les Français sont battus à Azincourt.

1429-1430 — Intervention de Jeanne d'Arc. Elle est brûlée vive à Rouen.

1453 — *Fin de la guerre dite de Cent Ans :*
l'Angleterre ne possède plus en France que Calais.

1483 — Mort de *Louis XI*. Ce roi a pris le duché de Bourgogne (à l'est), la Picardie et l'Artois (au nord) et il a hérité de plusieurs autres provinces : Anjou, Maine, Provence. Le Dauphiné a été acquis en 1344. Par la suite certaines de ces provinces seront perdues, puis reprises (voir la carte).

1491 — *Anne*, l'héritière de Bretagne, épouse *Charles VIII*, roi de France.

1494-1515 — *Charles VIII* et *Louis XII* font les guerres d'Italie.

Du XIVe au XVIe siècle, moyen français
— le dialecte francien (= de l'Ile-de-France) l'emporte sur les autres dialectes de langue d'oïl.
La chronique et l'histoire se développent : après Joinville qui écrit sur son grand ami St Louis des pages pleines de fraîcheur, *Jean Froissart* (1337-1414?) dépeint les aspects *brillants* de l'histoire guerrière de son temps. *Philippe de Commynes* (1447-1511) est le premier qui mérite le nom d'historien. Non seulement il expose les événements de son temps, mais il les *explique*. De plus il raisonne à leur propos et tâche de les *juger*.
Le théâtre religieux dans les villes connaît une vogue croissante au XIVe siècle :
— « miracles » racontant une histoire pieuse mais avec un réalisme tout bourgeois.
— « mystères » tirés de la Bible ou de la vie des Saints, surtout de la Passion du Christ (*Arnoul Gréban*, *Jean Michel*, etc.),
Pièces comiques : « La Farce de Maître Pathelin » et, plus tard, celles de *Pierre Gringoire.*

Au XIVe siècle

— la *poésie* adopte des formes fixes : rondeau, ballade, etc. *Guillaume de Machaut* (1300-1377 env.) en est l'artisan, il met ses poèmes en musique.
De plus en plus, cette poésie va devenir une « rhétorique » et chercher à vaincre le plus de difficultés possible. Les meilleurs poètes du temps sont, sans doute, *Eustache Deschamps* (1346-1406), *Alain Chartier* (1394-1439 env.), *Christine de Pisan* (1353-vers 1430), *Charles d'Orléans* (1394-1465), mais aucun n'égale *François Villon* (1431-1463 env.) pour la sincérité, le pathétique et le réalisme.
— en *prose*, outre les historiens, écrivent *Christine de Pisan* (1363-vers 1430) et *Alain Chartier* (vers 1394-après 1439). La première défend son sexe contre les attaques de Jean de Meung, le second est assez diffus sauf quand un vrai patriotisme l'inspire. *Antoine de la Salle* (1388-1462 env.) est célèbre par son « Histoire du petit Jehan de Saintré », où il se moque de la chevalerie. Enfin, orateur de valeur : *Jean Gerson* (1363-1429), chancelier de l'Université de Paris, animé d'un mysticisme sincère et pathétique.

A la fin du XVe siècle, un seul talent, *Jean Lemaire de Belges* (1473-vers 1525), qui fait pressentir la Renaissance et Ronsard.

Architecture, sculpture, peinture, etc.	Musique

L'ARCHITECTURE ET LA SCULPTURE

Au XIVe siècle le gothique tend vers le maximum de légèreté et d'élancement (chœur de Beauvais — 48 m de hauteur) et le dessin se complique. Vers la fin du siècle, il devient « *flamboyant* » : le *détail* prend de plus en plus de valeur pour lui-même, la part du *décor* grandit (cathédrale d'Alençon, de Rouen, etc.), la sculpture n'occupe plus que de petits espaces et les sculpteurs accentuent l'expression de la douleur, de la maladie, des *sentiments individuels* — intimes ou violents (*Claus Sluter* à Dijon). Développement de l'architecture urbaine, dont le chef-d'œuvre est le palais de Jacques Cœur à Bourges (1443-1451).

LA PEINTURE

La peinture (y compris la miniature) évolue pareillement vers le *pittoresque* et le *pathétisme*.

Au XIVe siècle, école parisienne (déjà active depuis longtemps) avec, entre autres, *Jean Pucelle,* école d'Avignon, les peintres des ducs de Berry (*Pol de Limbourg et ses frères* — « Très Riches Heures du duc de Berry », au début du xve s.) et de Bourgogne.

Au XVe siècle, école de Touraine avec *Jean Fouquet* (1420-1480 env.) aussi remarquable dans la miniature que dans la fresque et la peinture de chevalet, peintre de Louis XI, et le miniaturiste *Jean Bourdichon* (« Grandes Heures d'Anne de Bretagne »). La Provence aussi se distingue avec *Nicolas Froment,* avec l'artiste inconnu de la Pietà d'Avignon, et *le Maître de Moulins,* l'un des peintres français les plus séduisants. Néanmoins, malgré sa qualité, la peinture française du temps — dont beaucoup d'œuvres sont perdues — occupe par rapport à la peinture italienne un rang secondaire.

MUSIQUE

XIVe siècle — *Second âge de la polyphonie :* ars nova. Temps de *Guillaume de Machaut* (1300-1377 env.). Poète moyen mais musicien de génie et esprit universel, Machaut rayonne en France, en Italie et en Europe centrale. Il écrit surtout de la musique profane; son architecture musicale est plus raffinée et l'*expression* plus marquée. L'ars nova se caractérise par des combinaisons *rythmiques* plus souples dont *Philippe de Vitry* (1290-1361), prédécesseur de Machaut, s'était fait le théoricien. La génération qui suit Machaut exagère souvent le *maniérisme*, le raffinement et la complication : elle compose une musique « flamboyante » et rivalise de virtuosité avec les poètes « rhétoriqueurs ».

XVe siècle — *Troisième âge de la polyphonie :* école franco-flamande.
Après *Dunstable* (Anglais, mort en 1453) et *Guillaume Dufay* (1400-1474) apparaissent les grands maîtres *Jean de Ockeghem* (1430-1495), *Jacob Obrecht* (1440-1505) et *Josquin-des-Prés* (1450-1521). Le sens de l'harmonie (= accords au lieu de mélodies superposées) s'éveille. Les anciens modes de la musique grégorienne s'effacent pour laisser plus de place au majeur et au mineur.
Les Franco-Belges demeurent toujours les guides de l'Europe entière.

François 1ᵉʳ, roi de France (1514-1547), portrait par Jean Clouet. François 1ᵉʳ favorise dans son pays l'esprit de la Renaissance, comme Jean Clouet en exprime une forme éminemment française. Comme la Grèce antique, la Renaissance s'interroge sur le sens de l'univers et de l'homme, mais c'est à l'intérieur du christianisme et même, pour la France, principalement à l'intérieur du catholicisme. Il n'y a donc pas rupture totale avec le moyen âge.

III

L'HEURE DE LA RENAISSANCE

PREMIÈRE MOITIÉ DU XVIᵉ SIÈCLE

Pèlerinage aux sources

En remontant à l'aube du XVIᵉ siècle, nous allons au devant d'une époque qui, comme nous, essaie de faire un « pèlerinage aux sources ». Tout le XVIᵉ siècle européen, en effet, se plonge avec ivresse dans un passé redécouvert : il veut se rajeunir dans *l'antiquité grecque et romaine*. On s'est demandé ces derniers temps si l'on n'avait pas exagéré l'influence des Anciens sur le XVIᵉ siècle : certains ont rappelé le rôle joué par la civilisation provençale, transmise à l'Italie et revenant à la France par son intermédiaire. Il semble pourtant évident — comme nous le constaterons — qu'un *nouvel esprit* se fait jour. Sans doute la fin du moyen âge avait préparé le terrain. A la fin du XVᵉ siècle, nous venons de le voir, la civilisation passait par une crise : la Sorbonne théologique se perdait en subtilités, la foi avait été affaiblie par les guerres et la misère; la France, consciente de son unité et de la perfection de sa langue, supportait mal le latin médiéval, jugé barbare. De plus, les découvertes géographiques et la conquête du Canada par Jacques Cartier (vers 1535) ouvrent de nouvelles perspectives sur l'homme naturel. Enfin, on ne peut négliger l'influence de l'Italie où les Français — Charles VIII, Louis XII et François Iᵉʳ — sont allés faire la guerre. Ils trouvent là un confort, une esthétique, une morale, une attitude intellectuelle assez différents des leurs, bref un style de vie que l'Italie *croyait* avoir repris de l'antiquité.

François Rabelais, première personnification, avant Montaigne, de l'esprit de la Renaissance française. Portrait par un artiste de l'école française.

Croyait — car l'histoire ne se répète pas. En l'assimilant, l'Italie avait transformé le splendide passé gréco-romain. La France, à son tour, après une brève période d'imitation servile, rejette l'italianisme et retrouve son équilibre propre. La « virtù »

italienne ne passe pas dans l'âme française, ni, plus tard, une certaine prédilection méridionale pour la subtilité et le décor. Dans cet ensemble complexe qu'est la Renaissance française, nous pouvons en gros distinguer deux moments principaux : celui de *l'Humanisme* (1500-1550) ou étude de l'antiquité, et celui de *la Beauté* (nous verrons dans quel sens) que viennent troubler les guerres civiles de Religion (fin en 1598). Ici, comme précédemment, ce qui nous intéresse avant tout est la « manière » originale dont les Français ont assimilé l'héritage gréco-latin ou italien.

La plus forte personnalité de la première moitié du siècle, celle qui résume le mieux l'esprit de l'humanisme français de la

DEUX PHASES :

l'Humanisme et la Beauté

L'HUMANISME

Ci-dessus

La bataille de Marignan (entre les troupes de François 1er et les Suisses en 1515), bas-relief du tombeau de François 1er par Pierre Bontemps, à l'abbaye de Saint-Denis. Bataille racontée avec une précision pittoresque et un sens très sûr de la réalité.

Ci-contre

Concert aux jours de la Renaissance. Autour d'une fontaine sont groupés des personnages élégamment vêtus. Un gentilhomme joue du luth, l'instrument à la mode ; une jeune femme touche de l'orgue portatif. Tapisserie du début du XVIe s.

48

Mise au tombeau, par Jean Goujon. L'esprit de cette œuvre est bien différent de celui des Christs romans et gothiques ou de la Pietà d'Avignon. L'artiste ne cherche plus tant à transmettre un message de l'au-delà qu'à jouir de la beauté des corps et du jeu des rythmes.

Renaissance, est sans conteste François Rabelais. Certes la Renaissance à son début se caractérise par le rôle des chercheurs, commentateurs, éditeurs de manuscrits. On ne saurait exagérer l'importance des savants Guillaume Fichet, Jacques Lefèvre d'Étaples, Guillaume Budé, protégés par François Ier. De même il faut insister sur le fait qu'en France — à la différence de ce qui se passe en Allemagne — l'humanisme pur l'emporte finalement sur le zèle religieux.

Rabelais (1494-1553) était l'ami des philologues, philologue lui-même. Bien que moine, il n'aimait guère la papauté et, comme Erasme de Rotterdam, se montrait partisan d'un retour à l'Évangile. Il était de plus médecin, diplomate à l'occasion et surtout d'une curiosité universelle. De la première Renaissance il a l'énorme appétit de savoir et la volonté de renouvellement : il critique âprement tous les vices, toutes les institutions (clergé, justice, Sorbonne, etc.) mais sans jamais perdre sa confiance optimiste dans les *possibilités de l'homme* et dans *l'Évangile*. A la dureté et au pessimisme de Calvin (1509-1564), Rabelais oppose son rire énorme!

Son *Pantagruel* et son *Gargantua* sont des ouvrages destinés à faire rire, mais en même temps ils propagent avec prudence — car il était dangereux à l'époque de s'exprimer trop ouvertement — la vraie pensée de l'auteur sur la vie humaine : éducation, gouvernement, justice, religion. Dans la préface de *Gargantua*, Rabelais invite son lecteur à « rompre l'os et sucer la substantifique moelle... ». Son livre, dit-il,

contient de très hauts sacrements [= secrets] et mystères horrifiques, tant en ce qui concerne notre religion que aussi l'état politique et la vie économique.

PERSONNALITÉ DE RABELAIS

Jean Calvin, par un auteur du XVIIe siècle. Calvin est en France le principal réformateur, tout de rigueur et de logique.

Les gisants du tombeau de François II, duc de Bretagne, et de son épouse Marguerite de Foix, à la cathédrale de Nantes, (1502-1507), par Michel Colombe.

Pour savoir ce que Rabelais pensait de l'homme et pour découvrir l'idéal qu'il en proposait à son siècle, rien de mieux que de « l'interviewer » sur son système d'éducation, tel qu'il l'a exposé, avec humour et sérieux à la fois, à propos du géant Gargantua.

L'HOMME IDÉAL
SELON RABELAIS

— *Comment se passait, François Rabelais, la journée de votre jeune étudiant ?*

S'éveillait donc Gargantua environ quatre heures du matin. Cependant qu'on le frottait, lui était lue quelque page [= page] de la divine Écriture hautement et clairement avec prononciation compétente en la matière...

— *Amour du vrai*

— *C'est là une attitude assez nouvelle : retour à l'Écriture et exactitude scientifique en matière religieuse. Ensuite ?*

Selon le propos et argument [= sujet] de cette leçon souventes fois [= souvent] s'adonnait [= s'appliquait] à révérer, prier et supplier le bon Dieu, duquel la lecture montrait la majesté et jugements merveilleux. Puis son précepteur répétait ce qu'avait [= ce qui

50

avait] été lu, lui exposant les points les plus obscurs et difficiles. Considéraient[1] l'état du ciel, si tel était comme l'avaient noté au soir précédent, et quels signes [= dans quels signes] entrait le soleil, aussi la lune icelle [= cette] journée. Ce fait [= cela fait], était habillé, peigné, testonné [= coiffé], accoutré [= habillé] et parfumé, durant lequel temps on lui répétait les leçons du jour d'avant. Lui-même les disait par cœur et y fondait quelques cas pratiques et concèrnant l'état humain.

[1] L'emploi du pronom sujet (je, il, etc.) était facultatif dans le français de l'époque.

A gauche

Cheminée monumentale du château de Fontainebleau, avec peintures de Niccolo dell'Abbate, un des Italiens de l'école dite de Fontainebleau (avec Rosso, Le Primatice, etc.) qui initient les Français à l'esthétique et à la technique nouvelles.

A droite

Château de Blois (1515-1524) : le grand escalier de l'aile de François Ier. Sur cette façade, pour la première fois en France, les profils de moulure antique remplacent ceux de l'art gothique. L'escalier, de Jacques Sourdeau, combine la tradition médiévale et un décor italianisant.

Ci-contre

Le Louvre, façade de Pierre Lescot (mort en 1547) et Pavillon de l'Horloge, de J. Lemercier. La façade de P. Lescot éblouit les contemporains par l'élégance et la qualité de ses sculptures (dues à Jean Goujon).

51

Voilà bien du neuf : un élève parfumé et joyeux! Et surtout quelle volonté d'apprendre, de vérifier, et quel rôle donné à la mémoire!

— Combien de temps, Rabelais, durait cette toilette-leçon?

Jusque deux ou trois heures. Puis par trois bonnes heures lui était faite lecture [= des leçons étaient données].

— Et ensuite?

Ce fait, issaient hors [= sortaient], toujours conférant des propos de la lecture, et se déportaient en Bracque [= au jeu de paumes], ou ès prés [= dans les prés] et jouaient à la balle, à la paume, à la pile trigone [= à trois], s'exerçant les corps comme ils avaient les âmes auparavant exercé...

— *Souci du corps*

— Encore du nouveau : cette préoccupation du corps et de la santé! et le repas?

Au commencement du repas, était lue quelque histoire plaisante des anciennes prouesses jusqu'à ce que [(Gargantua)] eût pris son vin. Lors, si bon semblait, on continuait la lecture ou commençait à deviser joyeusement ensemble, parlant pour les premiers mois, de la vertu, propriété, efficace [= effet] et nature de tout ce qui leur était servi à table : du pain, du vin, de l'eau, du sel, des viandes, poissons, fruits, herbes, racines, et de l'apprêt d'icelles [= de celles-ci]. Ce que faisant, apprit en peu de temps tous les passages à ce compétents [= se rapportant à cela] en Pline, Athénée, Dioscorides, Julius Pollux, Galien, Porphyre, Oppian, Polybe, Héliodore, Aristoteles, Elien et autres...

La gourmandise intellectuelle n'est donc pas moindre que la gourmandise corporelle.

— *Formation
artistique*

— Ces joyeux compagnons s'intéressaient-ils aux arts?

S'ébaudissaient [= s'amusaient] à chanter musicalement à quatre et cinq parties... (Gargantua) apprit à jouer du luth, de l'épinette [= petit clavecin], de la harpe, de la flûte d'allemand et à neuf trous, de la viole et de la sacquebutte [= trombone].

— Gargantua et ses amis avaient-ils d'autres occupations?

— *Formation
technique*

Ils allaient voir... les gens de métier ou d'arts... : lapidaires, orfèvres,

horlogers, imprimeurs, organistes, teinturiers... (et) étudiaient en l'art de peinture et sculpture.

La musique du temps elle aussi s'intéresse passionnément à tout ce qui vit. Les compositeurs, Clément Janequin par exemple (1485-1560 env.), célèbrent « à quatre et cinq parties » [= voix] le chant des oiseaux, le mois de mai (voir ci-dessous), les batailles. A la différence des madrigalistes italiens, ils se préoccupent moins de la mélodie expressive que de la belle construction, de l'ordonnance intellectuelle et logique, qui est loin de s'opposer aux élans d'une sensibilité frémissante.

LA MUSIQUE

Château de Chambord (1519-1540) où l'architecture du règne de François Ier (un vieux château rajeuni par un décor Renaissance) atteint son épanouissement. Les arabesques du gothique flamboyant ont disparu.

53

Comme la musique, la peinture et la sculpture de cette première moitié du XVIᵉ continuent la tradition du siècle précédent : elles se caractérisent par un sobre *réalisme*, par la vérité psychologique et par une intériorité que l'influence italienne affaiblira quelque peu (après 1530) pendant une vingtaine d'années — non sans avoir contribué à son perfectionnement technique. Songeons aux portraits de Jean Clouet (vers 1485-1541) et de François Clouet (1516-1572) et à ceux de toute leur école. Rappelons-nous les sculpteurs Michel Colombe (1430-1515 env.), Ligier-Richier, Jean Cousin et surtout Jean Goujon (1510-1566 env.), tout d'élégance et de fraîcheur. Mais c'est surtout dans l'architecture que l'esprit nouveau — plus laïque — de la Renaissance s'affirme avec le plus d'éclat. Dès le début du siècle commencent à s'édifier les châteaux de la Loire (et d'autres), sous la direction de grands architectes comme Philibert Delorme (Chenonceaux), P. Chambiges (Saint-Germain-en-Laye), Jean Bullant (Ecouen), etc. La plupart de ces artistes réalisent une synthèse originale entre les traditions du pays et les tendances italiennes.

C'est à Fontainebleau que François Iᵉʳ réunit les artistes italiens qui donnèrent naissance à l'École de Fontainebleau. Le Rosso se vit confier en 1533 la décoration de la galerie François Iᵉʳ.

CONTINUITÉ DE LA
TRADITION
FRANÇAISE

En résumé, François Rabelais, de même que nombre de ses contemporains ne rompt pas avec le passé. En lui se poursuit l'esprit médiéval de la farce gauloise et du bon sens critique; il veut, jusque dans la religion, la juste mesure, l'équilibre, le respect d'autrui. Nul italianisme en Rabelais, nul machiavélisme non plus.

A côté du prosateur Rabelais il faudrait citer le poète « évangélique » d'abord comme Rabelais, puis protestant, Clément Marot. Décrire l'évolution de sa poésie serait retracer l'évolution de la première moitié du siècle. Bornons-nous à un seul poème qui, s'il ne montre pas tout le talent de Marot (qui fut aussi un grand poète religieux) fait bien sentir sa « gentillesse », le rondeau du *Bon vieux temps* :

Clément Marot, par Corneille de Lyon.

> Au bon vieux temps un train d'amour régnait
> Qui sans grand art et dons se démenait,
> Si[1] qu'un baiser, donné d'amour profonde[2],
> C'était donné toute la terre ronde[3] :
> Car seulement au cœur on se prenait[4].
> Et si, par cas, à jouir on venait[5],
> Savez-vous bien comment on s'en retenait?
> Vingt ans, trente ans : cela durait un monde,
> Au bon vieux temps.
> Or[6] est perdu ce qu'amour ordonnait :

Rien que pleurs feints, rien que changes on n'oit [7].
Qui voudra donc qu'à aimer je me fonde?
Il faut premier [8] que l'amour on refonde,
Et qu'on la mène ainsi qu'on la menait
  Au bon vieux temps.

[1] = de telle sorte que, [2] = amour : féminin, [3] = c'est comme si l'on donnait, [4] = on ne se donnait l'un à l'autre que si l'on s'aimait de cœur, [5] = si par hasard on venait à se donner l'un à l'autre, [6] = Maintenant, [7] = on n'entend que, [8] = d'abord.

Posons à Rabelais une dernière question. Sa réponse, qui est celle de nombreux humanistes français, nous permettra de décider si la Renaissance française n'a fait que répéter les théories de l'Antiquité ou si elle les a assimilées et dépassées.

— *Que pensez-vous, François Rabelais, des guerres de l'Antiquité et de la guerre en général?*

L'ANTIQUITÉ
ASSIMILÉE
ET DÉPASSÉE

Cette imitation des anciens Hercules, Alexandres, Anibals, Scipions, Césars et autres tels, est contraire à la profession de [= à la foi dans] l'Évangile, par lequel nous est commandé garder [= de garder], sauver, régir et administrer chacun ses pays et terres, non hostilement [= en ennemis] envahir les autres, et ce que les Sarrasins et barbares jadis appelaient prouesses, maintenant nous appelons [= nous l'appelons] briganderies [= brigandages] et méchancetés.

Paysans aux champs. Miniature d'un manuscrit appartenant à la famille Gouffier, favorisée par François Ier. « On commettrait un contresens grossier si, ébloui par un certain éclat extérieur du règne de François Ier, on ne sentait pas là-même et dans tous les domaines — le social et le politique — un profond goût de terroir » (J. Madaule).

Faits politiques, économiques et sociaux	Littérature
Au tournant du siècle, le monde entier change d'aspect. L'Espagne achève la reconquista sur les Musulmans et ses rois peuvent se tourner vers l'Europe. *Christophe Colomb* découvre l'Amérique, l'année même de la conquête de Grenade sur les Maures (1492). *Vasco de Gama* découvre la route maritime des Indes. En France l'arrivée massive d'or déprécie les terres : la noblesse ne peut plus vivre de ses revenus et dépend de plus en plus de la générosité du roi. La bourgeoisie acquiert les terres, et le roi élargit les rangs de la noblesse. Les banquiers jouent un rôle économique et politique souvent capital. Enfin, sur le plan intellectuel, les émigrés byzantins apprennent le grec et la philosophie de Platon à l'Europe.	Les idées nouvelles se répandent en France surtout par l'intermédiaire d'Erasme, dont Rabelais semble reprendre à peu près toutes les idées fondamentales : esprit critique joint au souci de respecter l'unité de l'Église — accord des consciences sur un très petit nombre de formules — espoir de substituer un jour à ces formules une interprétation plus profonde et plus humaine. Mais le schisme de la Réforme vient ruiner ce rêve.
1494-1515 — *Charles VIII* et *Louis XII* font les guerres d'Italie. Elles mettent les Français en contact plus étroit avec la Renaissance italienne.	L'esthétique italienne, sous l'influence de Pétrarque (1304-1374), lui-même héritier de l'esprit provençal, s'introduit chez les poètes.
1515 — *François Ier devient roi* Lutte contre l'Espagne (Charles-Quint).	**Lien avec le moyen âge**
1516 —. *Concordat entre François Ier et le Saint-Siège :* le roi a le droit de nommer aux bénéfices ecclésiastiques. Il dispose ainsi des revenus du quart de toute la France. Le Concordat de 1516 explique en partie pourquoi les rois de France n'ont pas adhéré à la Réforme. Le clergé par contre perdait son indépendance.	*Marguerite d'Angoulême* (1492-1549), sœur de François Ier, unit la gaieté gauloise au raffinement italien et à la ferveur mystique de la Réforme. Elle écrit des contes.
	Bonaventure Des Périers (1498 env.-1544), valet de chambre chez Marguerite, auteur d'un « Cymbalum mundi », volontairement obscur et jugé impie.
1532 — François Ier fonde le *Collège Royal* (aujourd'hui : *Collège de France*) pour l'enseignement de l'hébreu, du grec et du latin classique, indépendamment de la Sorbonne conservatrice.	Les poètes (« grands rhétoriqueurs ») qui précèdent Marot continuent et terminent le moyen âge.
1535 — *Calvin* publie « L'Institution Chrétienne ».	*Clément Marot* (1496-1544), valet de chambre de François Ier, est précieux mais sans obscurité. Il subit lui aussi l'attrait de la Réforme. Son art est de « gentillesse », de mesure et de goût.
1534-1535 — Voyages de *Jacques Cartier* au Canada. Prise de possession sous le nom de « Nouvelle- France ».	*François Rabelais* (1494-1553), ancien moine, grand érudit, médecin renommé; il entreprend en 1532 une épopée burlesque : « Pantagruel », « Gargantua », puis le « Tiers Livre » et le « Quart Livre ». Œuvre d'humaniste enthousiaste, d'évangéliste catholique dans l'esprit d'Erasme, mais voilant ses satires sous une forme de plaisanterie très réaliste.
1547 — *Mort de François Ier* et *avènement de Henri II*.	*Jean Calvin* (1509-1564) fonde une église nouvelle. Son « Institution chrétienne » marque une date dans l'histoire des idées et de la prose française.
1540-1560 — Famine dans les campagnes, exode vers les villes, à la suite des guerres contre la maison d'Autriche.	

Architecture, sculpture, peinture, etc.	Musique

Alors que le moyen âge s'attachait surtout à l'architecture religieuse, la Renaissance, plus laïque, édifie des bâtiments civils, et surtout des châteaux.

Pendant la Première Renaissance (= avant l'avènement de François Ier — 1515), on unit le nouveau style au gothique : château de Blois (aile Louis XIII), puis avec François Ier, l'élément gothique diminue : Chambord (1519-1540), Azay-le-Rideau (1521), Blois (aile François Ier), etc.

Parmi les grands architectes, il faut surtout nommer *Gilles Lebreton* (Château de Fontainebleau), *Pierre Chambiges* (mort en 1544, qui construit Saint-Germain-en-Laye et une partie de Fontainebleau), *Philibert Delorme* (vers 1512-1570 — château de Chenonceaux), *Jean Bullant* (vers 1510-1578 — château d'Ecouen) et *Pierre Lescot* (vers 1510-1578 — façade ouest de la cour du Louvre). La plupart de ces architectes, se formant au contact de *Girolamo della Robia* (arrivé en 1528) et de *Serlio* (arrivé en 1541, et qui remplace le style italien par le style néoclassique) ne tarderont pas à affirmer leur originalité propre; nous les retrouverons dans la seconde moitié du siècle.

LA SCULPTURE

Au début du XVIe siècle, la sculpture demeure fortement imprégnée de gothique avec *Michel Colombe* (1430-1515 env.). Mais en 1531, François Ier fait venir les artistes italiens *Rosso*, puis *le Primatice*, qui décorent le château de Fontainebleau et fondent l'école du même nom. Une réaction française se manifeste à la mort de François Ier, mais l'influence italienne demeure manifeste dans l'œuvre de *Ligier Richier* (1500-1567) et de *Jean Goujon* (1510-1566 env.) malgré parfois un rappel très net et génial de la tradition nationale de réalisme et d'observation psychologique qui rend alors ces élèves supérieurs à leurs maîtres.

LA PEINTURE

Deux peintres, tous deux nommés *Jean Cousin* (vers 1490-1560 et vers 1522-1594) s'abandonnent à l'esthétique de l'école de Fontainebleau tandis que l'art du portrait est porté à sa perfection par les *Clouet, Jean* (vers 1485-1541) et *François* (1516-1572), d'origine belge et sachant allier la grâce et l'élégance françaises à la précision flamande. Nombre de portraitistes sont animés de leur esprit : *Corneille de Lyon, Nicolas Jallier*, etc.

L'esthétique du « gothique » se maintient plus longtemps dans la musique que dans les autres arts. En d'autres termes, la grande *polyphonie vocale* crée longtemps encore d'immortels chefs-d'œuvre. Un duel s'engage entre d'une part le vieil esprit chrétien et sa musique savamment construite et, d'autre part, l'esprit profane qui recherche des accents plus humains et plus sensibles. Néanmoins, même dans la polyphonie, aparaît pla nouvelle mentalité. Le genre qui triomphe alors est la *chanson française* (*polyphonique*), œuvre profane à quatre parties, de rythme alerte et spontané, élégamment construite, souvent imitative et cherchant le pittoresque : *Clément Janequin* (1485-1560 env.), le Belge *Nicolas Gombert* (1480-1552), *Pierre Certon* (vers 1505-1572), *Passereau, Sermizy*, etc. Les instruments, surtout le luth, prennent une plus grande importance. Ce genre se répand dans toute l'Europe occidentale avec une rapidité extraordinaire; il exerce une profonde influence sur la chanson allemande et sur le madrigal italien.

En Allemagne où la musique chorale n'est pas aussi savante qu'en France ou en Italie (madrigal), s'établit avec la Réforme le genre du *lied* (Johann Walter). Ce genre sera désormais à la base de la musique allemande, de même que la musique française s'est inspirée et s'inspirera des modes du plain-chant. Notons encore au xve siècle la supériorité de l'Allemagne dans le domaine de l'orgue.

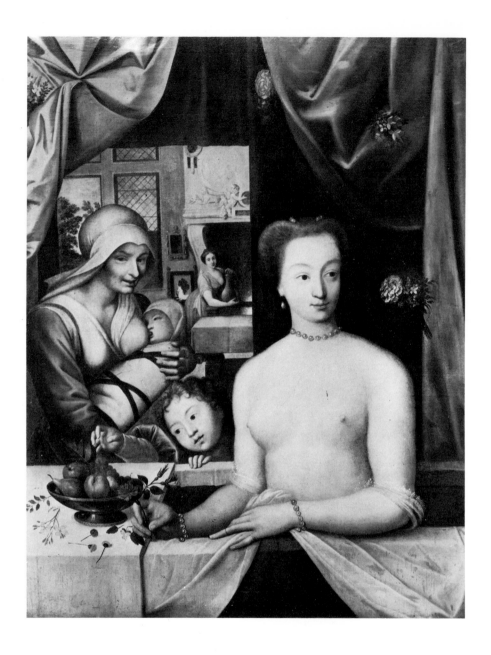

Gabrielle d'Estrées, favorite de Henri IV, dans son bain. Sous de multiples influences, dont celle du platonisme, le Christ est considéré de plus en plus comme l'homme parfait. Dès ce moment, la forme humaine n'est plus contrainte de signifier une réalité invisible : le corps devient beau en lui-même. D'où la théorie du « beau idéal » et — si la foi diminue — le culte de la beauté charnelle ou sensuelle.

IV

L'HEURE DE LA RENAISSANCE

DEUXIÈME MOITIÉ DU XVIᵉ SIÈCLE

Le culte de la Beauté et l'épreuve des guerres civiles

Plus longtemps que l'Italie, la France avait maintenu dans l'art l'esprit de la grande tradition romane et gothique. C'est seulement vers 1530 qu'elle avait été saisie par l'idéal nouveau, l'idéal de *Beauté*. Jusqu'alors les grands artistes avaient cherché à exprimer et à contempler dans les formes (architecture, sculpture, etc.) une *Vérité* — sacrée ou divine : ils ne créaient pas pour jouir esthétiquement de leurs œuvres. Comme André Malraux l'a montré (voir ch. XI), cet idéal de la Renaissance durera jusqu'aux environs de 1870, moment où, de nouveau, surtout avec van Gogh et Cézanne, l'expression d'une *Vérité* deviendra plus importante que la jouissance d'une Beauté. Néanmoins, une réaction française se produit aux environs de 1550 contre l'italianisme. Après la mort de François Iᵉʳ (1547), des sculpteurs comme Jean Goujon (1510-1566 env.) et surtout Germain Pilon (1537-1590) enrichissent l'esthétique raffinée de l'École de Fontainebleau (italienne) en revenant à l'observation de la nature et aux préoccupations psychologiques. Ce n'est certes plus l'esprit gothique, mais c'est un certain retour à un certain réel. En marge des allégories et fantaisies se développe le *portrait français* (les Clouet, Jean et surtout François).

Dans le domaine musical le grand génie de l'heure est Roland de Lassus (vers 1530-1594), probablement Belge du Hainaut, qui réunit en sa personne la solidité populaire de Rabelais et l'aristocratisme de la Pléiade. Avec lui la musique franco-belge poursuit sa voie triomphale. On l'a appelé « la première grande vedette internationale ». Il offre aux Allemands 93 lieder, aux Italiens 146 madrigaux et compose en tout 2 000 œuvres.

L'IDÉAL DE BEAUTÉ

— *l'art compris comme moyen de jouissance*

Jean . Goujon, Nymphes de la Fontaine des Innocents, un des monuments les plus parfaits du milieu du XVIᵉ siècle.

Roland de Lassus, (1532-1594).

Pour la littérature aussi, 1549 est une grande date. C'est alors que paraît le manifeste de la *Pléiade*, ce groupe d'écrivains dont les plus connus sont Pierre de Ronsard et Joachim du Bellay. En face de la familiarité de Marot et de la verve populaire de Rabelais, leurs œuvres constituent l'apport aristocratique du génie français de la Renaissance.

Ces écrivains, comme du reste le plus grand nombre des artistes renaissants, se consacrent entièrement à la Beauté, telle qu'elle leur est révélée dans les œuvres de l'antiquité païenne. C'est pour *embellir* la langue française, que l'école de la Pléiade cherche à s'assimiler la substance des œuvres antiques, comme firent autrefois les Romains avec la littérature grecque. Il faut donc travailler à orner la langue et substituer aux anciens genres (ballade, etc.) les genres des Anciens ou des Italiens (sonnet, épître, etc.). Bien différents en cela de nos contemporains, les artistes de ce temps croient qu'il existe *une* Beauté dont on s'approche plus ou moins. En fait et heureusement — qu'ils le veuillent ou non — ils gardent souvent leur originalité et nous proposent *leur* Beauté. Pour nous en rendre compte, relisons un sonnet bien connu de Joachim Du Bellay (1522-1560). Sa nuance de mélancolie est très personnelle ; elle s'insère pourtant dans le courant de sensibilité qui vient de la « douce France » de Roland ou du pays « de douce plaisance » de Charles d'Orléans... Nuance « renaissante » également, car Du Bellay « universalise » son expérience en la rattachant à celle d'un des prestigieux héros de la littérature grecque, Ulysse :

Pierre de Ronsard, (1524-1585).

Joachim du Bellay, (1522-1560).

Heureux qui, comme Ulysse, a fait un beau voyage [1],
Ou comme cestui-là qui conquit la toison [2]
Et puis est retourné, plein d'usage [3] et raison,
Vivre entre ses parents le reste de son âge [4]!

Quand reverrai-je, hélas! de mon petit village
Fumer la cheminée ,et en quelle saison
Reverrai-je le clos [5] de ma pauvre maison,
Qui m'est une province [6], et combien davantage?

Plus me plaît le séjour qu'ont bâti mes aïeux
Que des palais romains le front audacieux [7];
Plus que le marbre dur, me plaît l'ardoise fine [8],

60

La danse, par un peintre inconnu de l'École de Fontainebleau (2ᵉ moitié du XVIᵉ siècle). Avec la Renaissance, la peinture prend plus d'importance que la sculpture : elle convient mieux à un monde individualiste et déjà avide d'illusions.

Plus mon [9] Loire gaulois que le Tibre latin,
Plus mon petit Liré [10] que le mont Palatin
Et plus que l'air marin la douceur angevine.

[1] Exclamation à la manière antique : Felix qui... Noter le sens du mot « beau » qui, à l'époque, signifie aussi « grand » et « héroïque », [2]cestui-là = celui-là (Jason) qui alla chercher la Toison d'Or dans le Caucase et revint en Grèce, [3]=expérience,[4] =vie, [5]=enclos, jardin, [6]=un royaume, [7]=le front audacieux des palais romains, [8] En Anjou (adjectif : angevin) les toits sont souvent recouverts d'ardoises, [9] Le nom du fleuve était masculin en latin, [10]Village natal de Du Bellay.

François II, roi de France (1559-1560), dessin par François Clouet.

Il y a dans ce simple sonnet infiniment plus de sincérité et de beauté, de vrai patriotisme aussi, que dans la maladroite et pédantesque épopée de Pierre de Ronsard (1524-1585), *La Franciade*. Heureusement, Ronsard, comme Du Bellay, a abandonné de plus en plus le genre artificiel des modèles italiens et anciens, de même qu'il a passé d'un catholicisme intransigeant à une tolérance plus humaine.

★

Les guerres civiles de Religion durent une trentaine d'années pour se terminer avec l'abjuration d'Henri IV en 1593. Chose curieuse, ces luttes fratricides n'ont guère d'influence sur les arts.

LES GUERRES CIVILES

Peu d'influence sur les arts

61

Les châteaux de la Loire, édifiés sous François Ier, manifestent toujours la vigueur de l'inspiration française. Les architectes Philibert Delorme (env. 1512-1570), Jean Bullant (vers 1510-1578) et Pierre Lescot (vers 1510-1578) s'expriment avec sincérité et originalité.

Avec Costeley (1531-1606) la musique française s'oriente vers l'harmonie et fixe, vers les débuts du XVIIe siècle, « la règle de cette finesse et de cette audace harmonique qui est un pur délice de l'oreille — et de l'esprit ». C'est de Costeley et de son contemporain Jacques Mauduy que Claude Debussy se rapprochera instinctivement quand il renouera avec la tradition française a capella.

Littérature engagée

Le domaine qui se ressent le plus des troubles de l'époque est, évidemment, la littérature. Avec le catholique Monluc et le calviniste Agrippa d'Aubigné (1552-1630) — tous deux capitaines pendant les guerres de Religion — et avec bien d'autres, la littérature a tendance à devenir une littérature « engagée », c.-à-d. qui prend parti dans les querelles du temps.

Certes les guerres de religion ne constituent pas le seul facteur qui soit intervenu pour imprimer à une partie au moins de la littérature française ce caractère « baroque » qui persistera jusqu'à Corneille. Il faut tenir compte aussi de l'effet produit sur les esprits par la nouvelle vision du monde qu'imposaient les découvertes de Copernic, enfin vulgarisées, les explorations du monde et la découverte de nouveaux types d'humanité.

Le château de Chenonceaux. Les deux étages construits sur le pont sont l'œuvre de Philibert Delorme, devenu en 1547 surintendant des bâtiments du roi Henri II. Comme certains écrivains de la Pléiade, il réagit contre l'italianisme et l'académisme.

62

Statues funéraires de Henri II et de Catherine de Médicis, par Germain Pilon, remarquables par leur réalisme et leur vérité.

Chez les uns, comme chez Montaigne, il en résulte un scepticisme prudent, chez d'autres un recours plus passionné, plus offensif aux valeurs confessionnelles qui, pour leur propagande, recourent plus aux effets de choc de la sensibilité qu'à l'exposé serein des raisons.

Voici par quel luxe d'images hardies, avec quels chocs rythmiques et sonores, quelles recherches stylistiques, Agrippa d'Aubigné suggère la résurrection finale des morts :

> La terre ouvre son sein; du ventre des tombeaux
> Naissent des enterrés les visages nouveaux :
> Du pré, du bois, du champ, presque de toutes places
> Sortent les corps nouveaux et les nouvelles faces.
> Ici, les fondements des châteaux rehaussés[1]
> Par les ressuscitants promptement sont percés;
> Ici, un arbre sent des bras de sa racine
> Grouiller un chef[2] vivant, sortir une poitrine;
> Là, l'eau trouble bouillonne, et puis, s'éparpillant,
> Sent en soi des cheveux et un chef s'éveillant.
> Comme un nageur venant du profond de son plonge
> Tous sortent de la mort comme l'on sort d'un songe.

[1]. = relevés, [2] = tête.   (*Les Tragiques*)

Néanmoins, la personnalité dominante, celle dont ses contemporains et la nation française tout entière feront l'un de leurs maîtres, est un défenseur de la *modération*, le Gascon Michel de Montaigne (1533-1592), l'auteur d'un seul livre : *Les Essais*.

Portrait de Th.-Aggrippa d'Aubigné. " Aucun autre poète de France n'a cette carrure terrible, cette voix de géant inspiré, ce souffle fait pour les trompettes des désastres cosmiques, pour le rassemblement des nuées du déluge, la chute des murs éprouvés, l'appel de l'aube de Josaphat. " (Thierry Maulnier)

Portrait de Michel de Montaigne.

L'HOMME IDÉAL
SELON MON-
TAIGNE :

— *Modération*

— *Jugement*

— *Contacts humains*

Plus que personne, Montaigne a contribué à former l'homme classique, mesuré, de bon sens, respectueux du vrai et relativement tolérant. On comprend sans peine qu'il ait aimé de cœur le futur roi Henri IV qui déclarait en 1577 :

Ceux qui suivent tout droit leur conscience, sont de ma religion et moi je suis de celle de tous ceux qui sont braves et bons.

Cette conception sera encore pour l'essentiel celle de Richelieu. Au XVIIe siècle, le célèbre cardinal fera la guerre aux calvinistes parce qu'ils forment un état dans l'état, et qu'ils s'allient aux étrangers. Il ne s'attaquera pas directement à leur conscience, comme le fera, pour le malheur de la France, Louis XIV.

Pour saisir l'évolution des idées en un demi-siècle, citons de Montaigne quelques passages voisins de ceux de Rabelais et concernant la formation de l'homme. A l'exaltation de Rabelais succède une forme de culture moins encyclopédique et moins préoccupée de religion.

Il n'est rien de si beau et si légitime que de faire l'homme bien et dûment, ni science si ardue que de bien et naturellement savoir vivre cette vie... Les plus belles vies sont, à mon gré, celles qui se rangent au modèle commun et humain, avec ordre mais sans miracle [= action extraordinaire] et sans extravagance.

Cet homme, selon Montaigne, devra surtout avoir un *jugement sûr* : une « tête bien faite » plutôt qu'une « tête pleine ».

Que (le maître) ne demande pas (à son élève) seulement compte des mots de sa leçon, mais du sens et de la substance; et qu'il juge du profit qu'il en aura fait, non par le témoignage de sa mémoire, mais de sa vie... Que (l'élève) ne loge rien en sa tête par simple autorité et à crédit [= par confiance]; les principes d'Aristote ne lui soient principes, non plus que ceux des Stoïciens ou Epicuriens. Qu'on lui propose cette diversité de jugements : il choisira s'il peut, sinon il demeurera en doute.

Ce n'est plus tout à fait le joyeux optimisme de Rabelais : l'accent est mis sur l'honnêteté intellectuelle : il faut savoir *douter...* Il faut aussi s'ouvrir l'esprit par le *contact* avec des gens différents de nous, faire des voyages :

non pour en rapporter seulement, à la mode de notre noblesse française, combien de pas a Santa Rotonda [= le Panthéon d'Agrippa], ou la richesse des caleçons de la Signora Livia (une danseuse)... mais pour en rapporter principalement les humeurs de ces nations et leurs façons, et pour frotter et limer notre cervelle contre celle d'autrui. Je voudrais qu'on commençât à le promener (l'élève) dès sa tendre enfance, et premièrement pour faire d'une pierre deux coups, par les nations voisines où le langage est le plus éloigné du

64

nôtre, et auquel, si vous ne le formez de bonne heure, la langue ne se peut plier.

Plus tard, la chose devient trop difficile, et l'on se prive d'une merveilleuse richesse.

— Homme avant d'être Français

Il se tire une merveilleuse clarté, pour le jugement humain, de la fréquentation du monde : nous sommes tous contraints et amoncelés en nous [= repliés et renfermés], et nous avons la vue raccourcie à la longueur de notre nez. On demandait à Socrate d'où il était : il ne répondit pas : d'Athènes, mais : « du monde ».

Ainsi, pour Montaigne, comme pour toute la civilisation à laquelle il appartient, la qualité de Français n'a de valeur que si elle se soumet à la qualité de l'homme (voir page 96).

Henri IV, roi de France (1589-1610), dessin par Pierre Dumonstier

On peut certes — comme Pascal s'en est chargé — signaler certaines lacunes chez Montaigne, mais avec lui la civilisation française a pris une tournure qui déterminera la physionomie de plusieurs siècles. A la Renaissance, après l'universalisme chrétien d'un Saint Louis et le patriotisme chrétien d'une Jeanne d'Arc, s'impose un universalisme fondé principalement sur la simple *qualité d'Homme*. Et de nos jours, ceux qui s'interrogent le plus sur l'Homme, ceux qui se demandent s'il est des valeurs qu'il faut absolument respecter — un Saint-Exupéry ou un Malraux — sont à des degrés divers les descendants spirituels de Montaigne. Ils critiquent sans doute parfois l'aspect un peu trop aristocratique de cette Renaissance. Mais s'ils réclament un nouvel humanisme, encore plus universel et plus incarné dans l'action, c'est dans le prolongement des principes proclamés par Rabelais et par Montaigne (voir ch. XIV).

Scène de la Saint-Barthélémy (24 août 1572). *A gauche*, Coligny, à cheval, est blessé de deux coups d'arquebuse ; *à droite*, il est tué dans son lit, et son cadavre est ensuite jeté dans la cour. — L'enthousiasme et l'exubérance de la première moitié du siècle ont, dans la seconde moitié, dégénéré en passions et · en guerres religieuses.

Faits politiques, économiques et sociaux	Littérature

Vers 1550, l'Église catholique mène une contre-offensive : la Contre-Réforme (Concile de Trente, diffusion de l'ordre des Jésuites, etc.). Les Guises (cadets de la maison de Lorraine), catholiques, prennent une part importante dans la direction de l'État. Institution d'une infanterie nationale permanente.

Règnes

1547-1559 — *Henri II.* Il recommence la guerre contre Charles-Quint — épouse *Catherine* de Médicis.

1559-1560 — *François II*, fils de Henri II et de Catherine de Médicis.

1560-1574 — *Charles IX*, (son frère) — influence de Catherine de Médicis.

1574-1589 — *Henri III*, (autre frère), assassiné par un moine fanatique, Jacques Clément.

1589-1610 — *Henri IV* — épouse *Marie* de Médicis et meurt assassiné par Ravaillac.

1562-1598 — *Guerres civiles de Religion* dont les causes sont à la fois religieuses et politiques (l'Espagne catholique et l'Angleterre protestante se font la guerre en France par personnes interposées). Du côté catholique, François puis Henri de Guise, le connétable de Montmorency, de Montluc, etc. ; du côté protestant, le prince de Condé, Coligny, d'Aubigné, etc.

1572 — Massacre des protestants le jour de la *St-Barthélemy*, inspiré par Catherine de Médicis à Charles IX : elle persuade son fils que les calvinistes veulent le tuer.
Ce massacre provoque la formation du parti des *modérés*, appelés aussi « Bons Français » ou « Politiques», qui veulent une tolérance réciproque : ils se recrutent surtout dans la bourgeoisie éclairée de Paris (catholique) et aussi parmi les protestants. Mais l'année suivante, les catholiques dirigés par Henri de Guise forment la *Ligue*, parti catholique fanatique au service de l'Espagne. Elle s'oppose à l'*Union calviniste* dirigée par Henri de Bourbon, roi de Navarre, le futur Henri IV.

1593 — Henri IV abjure le calvinisme et il est reconnu roi de France.

1598 — *Édit de Nantes* — liberté de culte et places fortes accordées aux protestants.

De 1598 à 1610 — *Henri IV* rétablit l'autorité, ramène la prospérité, encourage l'agriculture (rôle de son ministre Sully). Avec lui c'est la France provinciale, pauvre mais saine, qui remplace la cour raffinée mais corrompue de Henri III.

1608 — *Samuel de Champlain* fonde Québec.

1610 — *Henri IV* est assassiné par un fanatique, *Ravaillac.*

POÉSIE
Vers 1550 — A Lyon, grand centre commercial et intellectuel, plusieurs poètes éminents : *Louise Labé, Antoine Héroët* et surtout *Maurice de Scève* qui écrit une œuvre dense et difficile mais d'une profondeur et d'une beauté de plus en plus admirée de nos jours.
1549 — Un groupe de poètes, la Pléiade, parmi lesquels *Pierre de Ronsard, Joachim Du Bellay, Antoine de Baïf*, publient un manifeste que rédige Du Bellay : « *Défense et illustration* (= enrichissement) *de la langue française* ». Ils veulent embellir le français par l'imitation originale des Anciens, l'emploi des mots techniques, archaïques, provinciaux, par le renouvellement de la syntaxe et de la prosodie.
Autres écrivains de la Pléiade : *Jean Dorat, Rémi Belleau, Etienne Jodelle, Pontus de Thyard.*
Vers la fin du siècle quelques poètes de moins de valeur reviennent à l'italianisme (*Desportes, Bertaut, Sponde*). *Vauquelin de la Fresnaye* fait déjà songer à Malherbe.

THÉÂTRE
1552 — Première tragédie imitée de l'antique : « Cléopâtre captive » de *Jodelle*. La tradition du théâtre médiéval est totalement abandonnée. Dans le genre de la tragédie, *Robert Garnier* crée quelques chefs-d'œuvre, p. ex. « Les Juives ». *Pierre de Larivey* adapte les comiques latins.

ÉCRIVAINS PRENANT PARTI DANS LES GUERRES CIVILES
Blaise de Montluc (vers 1500-1577), catholique fanatique, raconte ses campagnes avec sincérité mais dans un style lourd.
Agrippa d'Aubigné (1552-1630), poète inspiré et profond, a été pendant 15 ans le compagnon de Henri de Navarre. Il décrit en vers — dans « Les Tragiques » — les malheurs de la France. Son correligionnaire *Guillaume Du Bartas* (1544-1590) célèbre en vers la Création. Style bizarre mais parfois d'une étonnante grandeur.
Autres écrivains plus ou moins engagés : les auteurs de mémoires, *François de la Noue* (protestant), *Brantôme*, catholique et friand d'anecdotes (« Vie des dames illustres », etc.), *Etienne de la Boétie* (1530-1563), ami de Montaigne, défenseur de la souveraineté populaire.
« La Satire Ménippée » : chef-d'œuvre du pamphlet et parodie burlesque des Etats Généraux de 1593 qui refusaient un roi protestant.

HUMANISTES
De tous les humanistes (*Jacques Amyot* qui traduit Plutarque, *H. Estienne*, défenseur de la langue française, et *E. Pasquier*, érudit et sachant goûter les œuvres du moyen âge comme celles de l'antiquité) le plus grand et le plus influent a été *Michel de Montaigne* (1533-1592). Magistrat, diplomate à l'occasion, Montaigne commence en 1572 à rédiger ses « Essais » qu'il poursuit ou corrige jusqu'à sa mort. Il y parle de sa vie et de sa personne, touchant à tous les sujets, hésitant entre le stoïcisme et l'épicurisme, sachant douter et s'établissant finalement dans une sagesse basée sur la modération et l'amour de la vérité et de la liberté. (« Essais » = ici « expériences ».)
Formant la transition avec l'époque suivante, *Saint François de Sales* (1567-1622), écrivain au style savoureux, respectueux de l'adversaire, et donnant à la piété un tour plus aimable ; *Pierre Charron* (1541-1603), disciple de Montaigne, et l'évêque *Guillaume Du Vair* (1556-1621).

Architecture, sculpture, peinture, etc.	Musique

'ARCHITECTURE

a France se couvre de *châteaux* et d'hôtels. *Philibert Delorme*, *Jean Bullant* et *Pierre Lescot* continuent de cons- uire, ce dernier collaborant souvent avec le sculpteur ean Goujon.

A SCULPTURE

e grand sculpteur du moment est *Germain Pilon* (1537- 590), qui emprunte souvent ses motifs à l'Italie, de ême que *Jean Goujon*, mais qui les traite avec une npleur de style à laquelle le Primatice était incapable 'atteindre. Son art est souvent plus vigoureux que celui e Goujon, surtout vers la fin de sa carrière (tombeaux u statues funéraires). Un retour très net au réalisme à la simplicité traditionnels s'affirme dans l'œuvre de ierre Bontemps, collaborateur de Germain Pilon et de hilibert Delorme.

A PEINTURE

côté de peintres travaillant dans l'esprit de l'école Fontainebleau (italienne), *François Clouet* et son école ultiplient leurs admirables portraits. A signaler à côté eux, *Jean Cousin fils*, *Gourmont*, *Etienne* et *Antoine Caron*.

A TAPISSERIE

a tapisserie, qui existe en France, depuis le xiᵉ siècle, t encouragée et développée par François Ier et Henri II. lle retrouve une partie de son ancienne splendeur.

A CÉRAMIQUE

'art de la céramique s'épanouit avec *Bernard Palissy* ers 1510-1590?) et celui des émaux avec *Léonard Limosin* 505?-1575?) qui travaille dans l'esprit des Clouet.

La tradition musicale du moyen-âge garde très long-temps sa vitalité. Elle connaît même son *âge d'or* avec *Roland de Lassus* (vers 1530-1594), le génie le plus puis-sant et le plus varié de son siècle. Né probablement à Mons (Hainaut belge), il devient un artiste international, mettant en musique des poèmes de toutes les langues. Il fonde l'école de musique de Munich et de Nuremberg, et enseigne son art à l'Italie où il sera continué par Pales-trina.

Autre compositeur : *Philippe de Monte* (1521-1603), né à Malines, établi à Vienne.

Dans le genre de la *chanson française*, déjà illustré par Janequin et où l'esprit nouveau de la Renaissance se marque davantage, on peut citer *Guillaume Costeley* (1531-1606), *Claude le jeune*, *Jacques Mauduit*, *Arcadelt* et — ici encore — *Roland de Lassus*. *Claude Goudimel* compose des Psaumes calvinistes.

Après l'orgue, le luth devient l'instrument le plus ré-pandu. A noter aussi, en France, les violons du roi (*Claude Gervaise*).

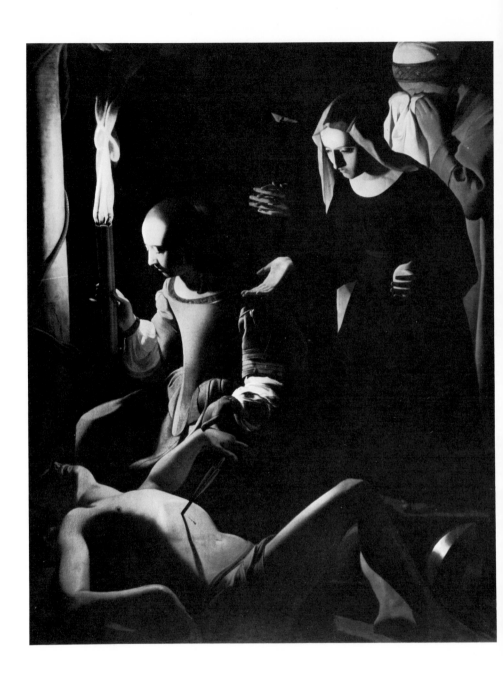

Georges de La Tour, Saint Sébastien pleuré par Sainte Irène. Georges de La Tour par la couleur, comme Pascal par l'écrit, exprime avec génie la vie spirituelle dominée mais vibrante qui caractérise la civilisation française pendant la première moitié du XVIIᵉ siècle (donc, avant le règne personnel de Louis XIV). La lumière de La Tour n'est pas réaliste comme celle du Caravage — elle unit les personnes au sein du mystère, du silence et de la grande nuit bienveillante. « La Tour exprime peut-être sous la forme la plus concentrée le sens de la gravité et même de la sévérité morale qui permet au réalisme français d'être moins choquant ou moins cruel que l'italien » (critique du Times, 1958).

V

L'HEURE DE L'AUTORITÉ

PREMIÈRE MOITIÉ DU XVIIᵉ SIÈCLE

La Générosité et le Cœur

De toutes les heures de la civilisation française, le XVIIᵉ siècle, ou « grand siècle » comme on l'appelle quelquefois, est peut-être celui que bon nombre de nos contemporains ont le plus de peine à comprendre. Quelle difficulté aujourd'hui d'imaginer une époque où la mentalité dominante (non pas unique certes, car il y a, plus ou moins cachés, des écrivains indépendants et rationalistes) est le *respect de l'autorité*, où les génies comme le commun des mortels éprouvent à tout moment le besoin de faire appel à une règle : règle de la raison (Descartes, Corneille), règle de la foi (Pascal, Racine), règles des Anciens, règles de la nature, de la langue, de la grammaire, etc. De plus chacun était intimement convaincu de la *responsabilité de l'homme* : pour Descartes la volonté était libre et n'avait qu'à appliquer les préceptes de la raison — pour Pascal cette volonté devait s'incliner devant la grâce, laquelle est normalement offerte à tous. Ce n'est pas cette époque-là qui eût regardé les criminels comme des malades, victimes de leurs complexes ou de leur milieu! Sans doute, pour certains, l'amour explique bien des égarements, mais alors c'est que la grâce a manqué... De toute façon, pour les défenseurs de la liberté humaine comme pour les partisans de la grâce, le pécheur est coupable, punissable!

Plus que jamais l'intérêt se concentre donc sur l'homme, sur *l'homme universel* que l'on juge, dans son fond, identique à travers l'espace et le temps. La « couleur locale » y perd, mais la connaissance de l'homme — de sa grandeur et de sa misère — y gagne, comme nous allons nous en rendre compte.

Le siècle se divise en deux parties à peu près égales. La première moitié (qui n'a rien à voir avec Louis XIV) est la plus

RESPECT DE LA RÈGLE

SENS DE LA RESPONSABILITÉ DE L'HOMME

L'HOMME UNIVERSEL

LES DEUX PHASES DU SIÈCLE

Le cardinal de Richelieu, par Claude Mellan.

DESCARTES : SENS
SPÉCIAL DU MOT
GÉNÉROSITÉ

René Descartes par Franz Hals.
« *Je doute, je sais, je crois*, à aucune époque et dans aucun pays, ces mots qui expriment les attitudes fondamentales de la pensée n'ont eu plus de densité en eux-mêmes, plus de résonnance lointaine que prononcés par un Montaigne, par un Descartes, par un Pascal »
(*L. Brunschvicg*)

constructive, la plus sûre d'elle-même : elle est dominée par les deux plus grands génies du siècle : Descartes et Pascal. La seconde phase (celle de Louis XIV et qui dure en fait jusqu'à sa mort en 1715) est déjà plus *sceptique*, plus modérée, et l'on y remarque déjà les tendances critiques qui vont dominer le XVIIIᵉ siècle.

Par contraste avec la Renaissance, plus lyrique et individualiste, ou avec le XVIIIᵉ siècle, plus critique et plus pratique, on imagine parfois les créateurs ou amateurs de règles du XVIIᵉ siècle comme des êtres à la mentalité « petit-bourgeois ». En fait, la première moitié du XVIIᵉ, dominée par la personnalité de Richelieu, a été l'époque des tempéraments riches, ardents, *héroïques*. Cette génération, encore soumise à la morale et à l'esthétique du baroque, a pour idéal le héros cornélien ainsi que le seigneur chevaleresque, galant et téméraire de la Fronde (= série de révoltes) des parlementaires (= hommes de loi) et des princes — Condé — contre le pouvoir royal. Descartes, philosophe de la raison? Oui, mais aussi théoricien de cette Générosité dont Corneille — indépendamment de lui — fera l'âme de ses tragédies. Pascal, géomètre? Oui, mais géomètre passionné et théoricien du Cœur. Chez la plupart il y a une vitalité, un frémissement dont nous regretterons peut-être l'absence au siècle suivant.

Pour René Descartes (1596-1650), comme pour Honoré d'Urfé (1568-1625) — l'auteur précieux de *L'Astrée*, le roman « best-seller » du XVIIIᵉ siècle — « il est impossible d'aimer ce qu'on n'estime pas » (*L'Astrée*). Même en amour, c'est donc la *raison* et *l'honneur* qui viennent en premier lieu. Descartes l'explique fort savamment dans son *Traité des Passions*. Nous ne pouvons guère le citer, car son français est encore difficile (Pascal créera la première prose française vraiment moderne). Contentons-nous d'exposer en peu de mots l'idée que Descartes se fait de la générosité. Etre généreux, c'est être assez *maître de soi* pour obliger la *volonté* à faire ce que la *raison* indique comme étant le meilleur. Elle y arrive de deux manières : si vous êtes une âme vraiment forte, la volonté n'hésite guère et réagit spontanément dans le sens du bien; si vous êtes moins généreux, il faut alors ruser avec vous-même. Prenons un exemple : vous êtes sur le champ de bataille et vous sentez l'envie de fuir devant l'ennemi. Or vous *savez* que la fuite est déraisonnable et lâche. Pour vaincre votre peur, remplacez dans votre imagination les images effrayantes (blessures, mort) par d'autres images exaltantes (gloire, joie d'avoir vaincu, etc.), car cela aussi dépend de votre volonté. Finalement, le généreux est celui qui s'est rendu *maître de ses passions*; celui-là seul « peut s'estimer au plus haut point ». Cette « estime de soi », c'est ce que Pierre Corneille (1606-1684), bien avant Descartes, appelle aussi « la gloire ». Ce qui anime les héros cornéliens, par exemple Rodrigue et Chimène dans *Le Cid*, ce n'est pas, comme on l'a trop dit, le sens du devoir, mais bien plutôt la volonté d'être « généreux » et ainsi de pouvoir toujours *s'estimer soi-même et être digne d'être estimé*. L'ambiance des œuvres de Corneille est donc joyeuse et chevaleresque. Même les situations qui, aujourd'hui, nous semblent fausses et contre nature, s'expliquent si on les replace dans la mentalité du temps. C'est le cas de Chimène dont le père a été tué par Rodrigue, l'homme qu'elle aime. Rodrigue *a dû* tuer le père de Chimène parce que celui-ci avait insulté son père à lui. De son côté, Chimène *se doit* de venger son propre père sur Rodrigue. Si elle ne le faisait pas, elle serait indigne de Rodrigue et donc, Rodrigue ne pourrait plus l'aimer. Elle déclare :

Pierre Corneille, gravure par Michel Lasne (1644).

> De quoi qu'en ta faveur mon amour m'entretienne
> Ma générosité doit répondre à la tienne :
> Tu t'es, en m'offensant, montré digne de moi;
> Je me dois, par ta mort, montrer digne de toi.
>
> (*Le Cid*)

Comme l'écrit un de ses admirateurs du XXᵉ siècle, Charles Péguy : chez Corneille « l'honneur est encore un amour et l'amour est encore un honneur ». La tradition de l'amour courtois se survit.

Blaise Pascal (1623-1662) était comme Descartes un homme complet : mathématicien, physicien, philosophe, mais, en plus, profondément religieux et mystique. Pascal a subi l'influence des jansénistes dont le centre se trouvait à Port-Royal, près de Paris. Ces jansénistes étaient des catholiques austères que l'on accusait d'avoir une doctrine fort voisine de celle de Calvin. Pourtant Pascal était capable de penser par lui-même. Ce qui le frappe, entre autres, c'est l'existence de différents ordres — ou plans — dans la connaissance. Il est persuadé

Blaise Pascal, par Philippe de Champaigne.
« Les différences les plus profondes entre ces hommes (Montaigne, Descartes, Pascal) proviennent moins de ce qu'ils ont des qualités contraires que de ce qu'ils ont différemment les mêmes».

(*Charles de Trooz*)

que Descartes n'a pas tout dit et que le cœur — ou intuition — peut lui aussi connaître « dans son ordre ». « Aimons-nous par raison ? » demande-t-il. Dans ses immortelles *Pensées*, l'un des passages les plus profonds et les plus beaux est certainement celui des « trois ordres ». Pour Pascal, le mot grandeur présente trois significations sans commune mesure. Il est impossible par exemple de comparer la grandeur d'un athlète (ordre de la chair, du corps ou de la matière) à celle d'un savant (ordre de l'esprit) ou à celle d'un homme généreux (ordre du cœur). Bien plus, on ne peut constater ces grandeurs par les mêmes moyens : il y a les yeux du corps, les yeux de l'esprit et les yeux du cœur ou de la sagesse.

Mais il y en a qui ne peuvent admirer que les grandeurs charnelles, comme s'il n'y en avait pas de spirituelles; et d'autres qui n'admirent que les spirituelles, comme s'il n'y en avait pas d'infiniment plus hautes dans la sagesse...
De tous les corps ensemble, on ne saurait en faire réussir [= sortir] une petite pensée : cela est impossible, et d'un autre ordre. De tous les corps et esprits, on n'en saurait tirer un mouvement de vraie charité, cela est impossible, et d'un autre ordre, surnaturel.

Il faudrait lire et relire tout le passage à haute voix, suivre son rythme, sa progression, être entraîné par sa rigueur quasi géométrique mais vibrante de passion, pour se rendre compte de tout ce qu'il apporte de nouveau à la civilisation française. Chrétiens et non chrétiens peuvent y trouver leur vérité, car si, pour Pascal, le troisième ordre est avant tout celui de la charité chrétienne et de la grâce, il est tout autant celui de la simple

L'abbaye de Port-Royal des Champs. Gravure du XVIIe siècle.

Place des Vosges à Paris, conçue par Claude de Châtillon. Que l'on compare cette architecture charmante de fantaisie et où alternent les couleurs de la brique et de la pierre, avec celle de la Place Vendôme (chapitre suivant), plus majestueuse mais plus monotone. On saisit alors la différence qui sépare les mentalités des deux moitiés du siècle

bonté humaine, la « générosité » du siècle, mise au service de l'amour. La réflexion de Pascal complète donc heureusement les vues plus strictement intellectuelles de Descartes. Citons encore quelques pensées de Pascal sur les sujets les plus divers. Voici l'idéal de « *l'honnête homme* » au sens où l'entend son siècle :

« *Les Pensées* »

L'homme est plein de besoins : il n'aime que ceux qui peuvent les remplir tous. « C'est un bon mathématicien », dira-t-on. — Mais je n'ai que faire de mathématiques; il me prendrait pour une proposition. — « C'est un bon guerrier. » — Il me prendrait pour une place assiégée. Il faut donc un honnête homme qui puisse s'accommoder à tous mes besoins généralement.

Sur la force de l'*imagination* :

Le plus grand philosophe du monde, sur une planche plus large qu'il ne faut, s'il y a au-dessous un précipice, quoique sa raison le convainque de sa sûreté, son imagination prévaudra. Plusieurs n'en sauraient soutenir la pensée sans pâlir et suer.

Saint Vincent de Paul (1581-1660), l'une des grandes figures de cette époque ardente. A une générosité sans limite il a su unir le bon sens et le réalisme.

Sur les effets de l'*amour* :

Le nez de Cléopâtre : s'il eût été plus court, toute la face de la terre aurait changé.

73

Mazarin (1602-1661), ministre du roi Louis XIII, succède à Richelieu et gouverne avec pleine puissance pendant la minorité de Louis XIV lequel ne prendra personnellement le pouvoir qu'en 1661, après la mort de son ministre.

Sur *la pensée* :

L'homme n'est qu'un roseau, le plus faible de la nature; mais c'est un roseau pensant. Il ne faut pas que l'univers entier s'arme pour l'écraser : une vapeur, une goutte d'eau, suffit pour le tuer. Mais, quand l'univers l'écraserait, l'homme serait encore plus que ce qui le tue, parce qu'il sait qu'il meurt, et l'avantage que l'univers a sur lui, l'univers n'en sait rien.

Mais, pour Pascal, cette pensée, créée pour la plénitude de la vérité, est incapable de l'atteindre sans la grâce. Séparée de la Charité, elle vogue, déboussolée, entre les deux infinis — de la grandeur et de la petitesse —, se heurte à la contradiction de l'homme, à la fois grand et misérable. Cette « disproportion de l'homme » à la nature et à lui-même, Pascal la décrit, pour l'avoir tragiquement vécue, dans une prose qui rejoint, par son rythme, ses sonorités, ses images, les plus hauts sommets de la poésie :

Voilà notre état véritable ; c'est ce qui nous rend incapables de savoir certainement et d'ignorer absolument. Nous voguons sur un milieu vaste, toujours incertains et flottants, poussés d'un bout vers l'autre. Quelque terme où nous pensions nous attacher et nous affermir, il branle et nous quitte; et si nous le suivons, il échappe à nos prises, nous glisse et fuit d'une fuite éternelle. Rien ne s'arrête pour nous. C'est l'état qui nous est naturel, et toutefois le plus contraire à notre inclination ; nous brûlons de désir de trouver une assiette ferme, et une dernière base constante pour y édifier une tour qui s'élève à l'infini, mais tout notre fondement craque, et la terre s'ouvre jusqu'aux abîmes.

RACINE ET LA PASSION

Comme nous avons rapproché Corneille de Descartes, il faudrait ici évoquer, après Pascal, Racine (bien que celui-ci appartienne à la seconde moitié du siècle). Jean Racine (1639-1699) a été lui aussi un disciple des jansénistes. Alors que Descartes et Corneille avaient été formés par les jésuites (défenseurs de la liberté de l'homme) et à l'école des Romains, Racine, comme les jansénistes de Port-Royal, met l'accent sur la puissance des passions et se forme au contact des Grecs.

Le Destin

Avec lui, le Destin des tragiques grecs s'intériorise. Au lieu d'être imposé de l'extérieur par les Dieux, il devient la *fatalité des passions*. Certes, Racine invoque comme Descartes, le bon sens et la raison. Il écrit par exemple :

J'ai reconnu avec plaisir que le bon sens et la raison, étaient les mêmes dans tous les siècles. Le goût de Paris s'est trouvé conforme à celui d'Athènes.

En quoi il se trompait à moitié, car ses personnages diffèrent profondément de ceux d'Homère ou d'Euripide : ils se posent

des problèmes de morale et de psychologie inconnus des Anciens. Quand Phèdre voit pour la première fois le jeune Hippolyte :

> Je le vis, je rougis, je pâlis à sa vue :
> Un trouble s'éleva dans mon âme éperdue;
> Mes yeux ne voyaient plus, je ne pouvais parler :
> Je sentis tout mon corps et transir et brûler [1]
>
> ...
>
> C'est Vénus tout entière à sa proie attachée [2].
>
> *(Phèdre)*

[1] = se glacer et brûler, [2] = attachée à sa proie

Ici, amour et honneur ne coexistent plus comme chez Corneille. Racine a surtout exprimé l'aspect instinctif, obscur, démoniaque de l'homme, mais « à la française », c.-à-d. avec un minimum de mots, avec une densité et une discrétion de l'expression qui n'ont jamais sans doute été dépassées. Et n'est-ce pas l'un des paradoxes de la civilisation française, que Racine, l'auteur le plus passionné et le plus proche de l'instinct, soit déclaré universellement le plus typiquement français, par son sens de la mesure, par sa psychologie et par la musique infiniment douce et suggestive de sa langue ?

L'instinct « à la française »

Les arts dans la première moitié du XVIIe témoignent de la même sensibilité *exquise* et *dominée*, de la même intériorité digne et vibrante.

LES ARTS

La musique française de cette époque est mal connue : elle semble se taire mais « prépare, sur le luth, la plus délicieuse

Louis XIII roi de France (1610-1643). Statue de Simon Guillain (1581-1658).

des réapparitions ». A ce moment aussi apparaissent les premiers clavecinistes français dont le principal est Chambonnières (1602-1672). Entre 1606 (mort de Costeley) et 1660, date des premières œuvres de Lulli (voir page 87), le luth accompagne les ballets de cour où il remplace les voix. Il ne se borne pas comme dans la musique italienne à accompagner une mélodie : il garde encore les traditions de la grande polyphonie française. C'est l'heure où, suivant la voie tracée un siècle auparavant par Monteverdi, les musiciens italiens élaborent un art expressif, souple et mélodique qui va, plus de cent ans, livrer une lutte tantôt destructrice, tantôt bienfaisante, à la musique française. Si la sculpture subit une éclipse relative, cette époque voit naître un graveur de génie, Jacques Callot (1592-1635). L'architecture, qui évolue vers l'ordre classique, fait encore place à la fantaisie et à la grâce. Néanmoins, c'est la peinture qui connaît alors l'essor le plus extraordinaire. Nicolas Poussin (1594-1665) cherche à réaliser et réalise un juste équilibre entre la raison et le sentiment. Claude Gelée, dit le Lorrain, (vers 1600-1682) s'enchante de la lumière tandis que Georges de La Tour (1593-1652) crée, avec une technique héritée en partie du Caravage, des tableaux incomparables : leur composition aussi rigoureuse que discrète, leur intériorité, se distinguent nettement du sens baroque et plus décoratif du

Ulysse remet Chriséis à son père, par Claude Gelée, dit le Lorrain. Dans cette étude de paysage et surtout de lumière, nulle couleur locale, mais des gestes et une scène qui traduisent cette harmonie de l'homme, en pleine et exaltante possession de lui-même.

76

La mère (détail du « Repas de paysans »), par Louis Le Nain. Comme la Tour mais avec des moyens différents, Louis Le Nain imprègne de noblesse spirituelle les réalités les plus humbles. Il exprime, lui aussi, cette « autorité » tout intérieure et librement acceptée qui fait du premier demi-siècle un des hauts sommets de la civilisation. Dès que commencera le règne personnel de Louis XIV (1661) cette autorité deviendra plus extérieure et moins spirituelle.

maître italien. Quant aux frères Le Nain, à Louis surtout (1593-1648), peut-on les imaginer autres que Français, et Français de cette époque ? Où trouver dans l'histoire universelle de l'art, des visages aussi *spirituels dans leur réalisme*, où brillent aussi sereinement la paix humaine et fraternelle, la noblesse de la vie humble, *la vérité tout imprégnée d'amour ?*

Scène extraite des « Misères de la guerre », par Jacques Callot, le génie de la gravure.

Faits politiques, économiques et sociaux	Littérature

Français moderne

La France devient un pays où la noblesse est privée de pouvoir politique et où la bourgeoisie aspire à devenir une sorte d'aristocratie héréditaire. En 1604 le roi avait confirmé la pratique qui permettait aux juges et fonctionnaires de transmettre leurs charges moyennant le paiement d'un droit annuel. C'était pour la monarchie un moyen de se procurer de l'argent, mais, par là, elle a toujours plus tendance à s'identifier aux classes privilégiées. Dans le domaine religieux les effets de la Contre-Réforme se font sentir = diffusion de l'ordre des Jésuites, renouveau religieux, ascétique et mystique.

1610 — Avènement de *Louis XIII* — Régence de *Marie de Médicis.*

1624-1642 — *Ministère de Richelieu*
Richelieu enlève aux protestants leurs places fortes mais leur laisse la liberté religieuse.

1631 — Richelieu soutient Gustave-Adolphe. Son but : abaisser la maison d'Autriche. Il conquiert des villes en Alsace et dans le Midi s'empare du Roussillon.

1634 — L'abbaye de *Port-Royal* devient janséniste (c.-à-d. partisan de la doctrine austère de l'évêque *Jansénius*).

1635 — Richelieu fonde l'*Académie française.*

1643 — *Mort de Louis XIII* — Louis XIV a alors 5 ans.

1643-1661 — *Ministère de Mazarin*
Régence d'*Anne d'Autriche*, femme de Louis XIII.

1648 — *Traités de Westphalie* : la France garde l'Alsace sauf Strasbourg et Mulhouse.

1648-1653 — *Les deux Frondes* (= révoltes)
— celle des *Parlementaires* (= magistrats) qui veulent contrôler le pouvoir royal.
— celle des *Princes* (Condé, le futur Cardinal de Retz, Mme de Longueville, etc.), irrités d'être écartés du pouvoir. Condé ira jusqu'à se mettre au service de l'Espagne.

Misère du peuple. Créations charitables de *Saint Vincent de Paul* (1581-1660).

1661 — *Règne personnel de Louis XIV.*

Au début du siècle François de *Malherbe* (1555-1628) et ses disciples *Maynard* et *Racan* réclament un art plus sobre et plus raisonnable mais l'esprit de liberté et de fantaisie — l'esprit dit « baroque » — résiste. Contre Malherbe, *M. Régnier* publie ses satires (1608-09) ; les œuvres de *Th. de Viau* paraissent en 1625 et *Saint-Amant* défend aussi contre Malherbe la liberté de l'inspiration. L'hôtel de Rambouillet, « centrale » des *précieuses* est surtout actif de 1630 à 1645. De 1607 à 1627 paraît le roman de 5 000 pages, « L'Astrée » d'*Honoré d'Urfé* (1568-1625) : bergerie sentimentale mais où la psychologie est subtilement analysée et qui contient déjà l'essentiel de la théorie de la Générosité.

Contre l'idéalisme précieux se produit la réaction burlesque, originaire de l'Espagne et de l'Italie. Le *burlesque* est un parti-pris de vulgarité comme l'esprit précieux est un parti-pris de raffinement. *Charles Sorel* (1597-1674) crée le genre avec « Francion » et *Scarron* (1610-1660) y déploie la plus grande originalité (« Le Roman comique »). Deux bons représentants de la poésie baroque sont *Cyrano de Bergerac* (1619-1655) et *Tristan l'Hermite* (1601-1655), deux vrais poètes.

La « cabale » des philosophes *libertins* (= libres-penseurs) — *Gassendi, La Mothe le Vayer, Naudé* — est supprimée par l'autorité royale. Elle renaîtra après 1680. L'œuvre philosophique de Gassendi, d'inspiration épicurienne, est publiée en 1656-58.

Pierre Corneille (1606-1684) présente « Le Cid » en 1636. Ses précurseurs sont *Alexandre Hardy* qui eut le sens de l'action dramatique et *Jean Mairet* qui s'écarte de la liberté baroque et se soumet à la règle des 3 unités. D'abord auteur de comédies, Corneille se consacre ensuite à la tragédie, exaltant la volonté, la gloire et la générosité. En vieillissant, il tombera parfois dans le mélodrame.

René Descartes (1596-1650)

— publie le « Discours de la Méthode » en 1637 (= rapports de la raison et de la science).

— publie « Les Passions de l'Ame » en 1649 (= rapports de la raison et de la sagesse — théorie de la Générosité).

Corneille et Descartes sont formés par les Jésuites dans la tradition de l'humanisme latin : culte de la volonté et de l'énergie.

Blaise Pascal (1623-1662), savant géomètre et physicien, converti par les Messieurs de Port-Royal, jansénistes. Publie en 1656-57 les « Provinciales » contre les Jésuites qu'il accuse d'accorder trop à la volonté et pas assez à la grâce. Il les accuse aussi de morale relâchée. Ses « Pensées », notes prises pour préparer une apologie de la religion, ne seront publiées qu'après sa mort.

Un des témoins les plus originaux de la vie mouvementée de l'époque est le *cardinal de Retz* (1614-1679). Ses « Mémoires » dépeignent, dans un style de vie intense, les intrigues, les personnages et les révoltes de Paris.

Molière fait jouer « Les Précieuses Ridicules » en 1659.

Architecture, sculpture, peinture, etc.	Musique

L'ARCHITECTURE

Un certain besoin d'ordre et de rigueur se manifeste dans l'architecture : la forme ordinaire des châteaux sera une façade flanquée de deux ailes, donnant l'impression de stabilité et d'équilibre. Mais ce n'est pas encore l'esprit géométrique de la seconde partie du siècle : cette rigueur s'accommode de la grâce et de la fantaisie. Que l'on compare la Place des Vosges (Paris), charmante de couleurs, où alternent la brique et la pierre, avec la Place Vendôme, appelée alors Place Louis le Grand, plus majestueuse, toute en pierre et plus monotone! Cette Place des Vosges se situe plus dans la tradition française tandis que le Palais du Luxembourg (par *Salomon de Brosse* 1565-1627), la Sorbonne, le Val-de-Grâce, obéissent plus à l'esthétique italienne.

Architectes : *Lemercier, Le Muet, F. Mansard, Le Vau,* etc.

LA SCULPTURE

Les sculpteurs s'écartent encore davantage du gothique et progressent vers l'art dit classique, s'inspirant plus du réalisme flamand que de l'Italie. Le bronze qui se prête aux accents réalistes est préféré au marbre. *Jean Warin* (né à Liège, 1604-1672), sculpteur de Richelieu, de Louis XIII et du jeune Louis XIV — *Jacques Sarrazin* (1592-1660) ont laissé des œuvres vigoureuses qui tranchent sur les grâces parfois un peu molles de Jean Goujon et poursuivent le retour au naturel commencé par Germain Pilon et Pierre Bontemps.

Autres sculpteurs : *Guillaume Dupré, Simon Guillain,* les deux frères *Anguier, Gilles Guérin.*

LA PEINTURE

Mais l'art qui connaît, dans la première moitié du siècle, l'essor le plus extraordinaire est la peinture. Aux noms qui ont été signalés dans le chapitre (*Nicolas Poussin, Georges de La Tour,* les trois frères *Le Nain, Claude Gelée, dit le Lorrain*), il faut ajouter celui de *Simon Vouet* (1590-1649) peintre d'une facilité prodigieuse, auteur de belles tapisseries et qui, à partir de 1628, fait figure de chef d'école. Prédécesseur et jaloux de Poussin, il lui est cependant inférieur. Plus dignes de mention sont le Bruxellois *Philippe de Champaigne* (1602-1674), peintre des « Messieurs » de Port-Royal, d'une extraordinaire pénétration psychologique, et *Eustache Le Sueur* (1616-1655), moins inspiré certes mais d'une réelle noblesse d'inspiration.

Deux graveurs de génie, *Jacques Callot* (1592-1635), dont l'œuvre — 1 500 planches — est un précieux document sur la vie de l'époque, et *Abraham Bosse* (1602-1676), qui a laissé 850 pièces.

Le XVIIᵉ siècle s'écarte du contrepoint (= polyphonie) savant.

L'Italie crée l'*opéra* et la *monodie* (= *mélodie*) *accompagnée* mais l'opéra ne vient qu'assez tard en France, et *adapté au goût français.*

Ce qui a le plus de succès à la Cour est le *ballet* — spectacle avec danses, pantomimes, chants rythmés — ainsi que l'*air* accompagné par les instruments, surtout par le *luth. Pierre Guédron* (mort en 1625) est le compositeur d'airs de cours le plus important pour la France musicale de la 1ʳᵉ moitié du siècle.

En 1647, Mazarin fait venir à la Cour *Luigi Rossi* qui présente son « Orfeo ».

Les instruments à cordes servent surtout à faire danser. Les « bandes de violons » des rois Louis XIII et Louis XIV se font entendre dans les ballets. On compose pour le luth, puis pour le clavecin, l'orgue et l'orchestre, des *suites* de danse (Gaultier) et des sonates dites françaises qui en dérivent.

Comme les luthistes, les premiers clavecinistes français — *Jacques Champion de Chambonnières* (1602-1672), *Louis Couperin* (mort en 1661) — s'attachent souvent à la « peinture musicale des sensations » ou à la description de scènes. Dès le début du XVIIᵉ siècle, le clavecin commence à remplacer le luth.

La France possède alors une admirable école d'organistes par exemple *Jean Titelouze* (1563-1633).

Frontispice pour les « Eloges des Hommes Illustres » de Ch. Perrault, gravé par Edelinck. Symbole éloquent de la domination parfois bienfaisante mais souvent écrasante du grand monarque qui, à Versailles et sous la direction de Le Brun, a absorbé dans une même discipline, architectes, peintres et sculpteurs.

VI

L'HEURE DE L'AUTORITÉ

RÈGNE PERSONNEL DE LOUIS XIV (1661-1715)

Le Classicisme

DEUX FAITS IM-
PORTANTS DU
RÈGNE

a) politique
   coloniale

b) révocation de
   l'édit de Nantes

Le long règne personnel de Louis XIV est si riche d'événements glorieux ou regrettables que tout choix parmi eux risque d'être subjectif. Du point de vue de la civilisation française, deux faits pourtant méritent d'être rappelés : la généreuse politique coloniale de Colbert, un des grands ministres du roi, et les persécutions dirigées par Louis XIV contre les protestants.

A propos du Canada Colbert fixe les méthodes qui demeureront celles de la colonisation française. Il écrit :

On doit appeler les habitants du pays en communauté de vie avec les Français, les instruire dans les maximes de notre religion et même dans nos mœurs (de manière à) composer avec les habitants du Canada un même peuple et fortifier par ce moyen cette colonie, changer l'esprit de libertinage qu'ont tous les sauvages en celui d'humanité et de société que les hommes doivent avoir naturellement.

Louis XIV, roi de France (1661-1715), pastel par Charles Le Brun.

Cette politique fut réellement appliquée, en contraste réconfortant avec ce qui se passait en d'autres parties de l'Amérique. Le Canada ou Nouvelle-France sera gouverné comme n'importe laquelle des provinces françaises.

Par contre, malgré la résistance de Colbert, Louis XIV, qui voyait dans les protestants des ennemis de son absolutisme, révoqua en 1685 l'édit de Nantes, interdisant donc l'exercice public ou privé de la religion réformée. D'où une émigration en masse qui fit perdre à la France ses citoyens les plus actifs. Mais, revenons à l'esprit dominant de l'époque. Que constatons-nous ?

Quand Louis XIV, en 1661, décide de gouverner lui-même, la mentalité de la première moitié du siècle — générosité de Descartes ou ardente inquiétude de Pascal — fait place de plus

Jean Racine, par Jean-Baptiste Santerre (1658-1717).

en plus à une nuance nouvelle de civilisation : l'autorité temporelle ou religieuse demeure « officiellement » indiscutée, mais l'atmosphère est moins imprégnée d'héroïsme : un certain *pessimisme*, une *modestie* plus consciente se font jour. Ceux qu'on appelait les « libertins » (les libres-penseurs) ont certes existé à tous les siècles de l'histoire de France — par exemple dans la première moitié du siècle l'écrivain Théophile de Viau et le grand philosophe Pierre Gassendi. Sous Louis XIV, avec Saint-Evremont et bien d'autres, les *esprits libres* osent s'exprimer et en appellent aux *sciences* pour connaître la vraie morale et le dernier mot sur l'homme.

A leurs idées, La Fontaine (1621-1695) et Molière ne sont pas insensibles. Ils soulignent les ridicules de l'homme et *rejettent tout excès* de dévotion ou de stoïcisme. Racine et La Rochefoucauld (1613-1680) accentuent encore le pessimisme pascalien. Les malheurs de la fin du règne de Louis XIV provoquent ou favorisent chez La Bruyère, Fénelon, Bayle et Fontenelle, une critique de l'autorité (voir page 94). Le grand orateur et évêque Bossuet (1627-1704) en sera désespéré : nous entrons dans une nouvelle phase de la pensée et de la sensibilité françaises. Parmi les multiples expressions de l'esprit classique à l'époque de Louis XIV, choisissons une fable de La Fontaine. L'œuvre du fabuliste est peut-être le miroir le plus fidèle de la société du temps. On y rencontre le roi et les grands (le lion, le loup, etc.), la ville (rats, grenouilles, fourmis, représentant l'esprit bourgeois, le sens pratique, l'économie), les charlatans, les juges, les médecins, etc., enfin la campagne. Seul de son siècle La Fontaine trace un tableau complet de la vie rustique et c'est là qu'il se montre le plus hardi : le pâtre à ses yeux vaut le marchand, le gentilhomme, même le roi. Sans cesse il fait allusion à l'actualité, critique les prêtres, les événements politiques intérieurs et extérieurs, la philosophie même.

Et la morale de tout cela ? Une constatation résignée — ni héroïque, ni vulgaire — sur le cours normal de la vie. Les forts et les habiles l'emportent. Sachons-le ; soyons prudents, lucides, sans excès.

Molière, par Pierre Mignard.

82

Farceurs français et italiens ayant appartenu aux Théâtres Royaux. Ce tableau, peint en 1670, représente les plus célèbres farceurs du temps (Molière à gauche, en Arnolphe de « L'École des Femmes »).

LE CHAT, LA BELETTE, ET LE PETIT LAPIN

Du palais d'un jeune Lapin
Dame [1] Belette, un beau matin,
S'empara : c'est une rusée.
Le maître étant absent, ce lui fut chose aisée.
Elle porta chez lui ses pénates [2], un jour
Qu'il était allé faire à l'Aurore sa cour
   Parmi le thym et la rosée.
Après qu'il eut brouté, trotté, fait tous ses tours,
Janot Lapin retourne aux souterrains séjours [3].
La Belette avait mis le nez à la fenêtre.
   « O Dieux hospitaliers [4]! Que vois-je ici paraître?
Dit l'animal chassé du paternel logis.
   Holà! Madame la Belette,
   Que l'on déloge sans trompette [5].
Ou je vais avertir tous les Rats du pays. [6] »
La dame au nez pointu [7] répondit que la terre
   Etait au premier occupant [8].
   C'était un beau sujet de guerre [9]
Qu'un logis où lui-même il n'entrait qu'en rampant.
   « Et quand ce serait un royaume,
Je voudrais bien savoir, dit-elle, quelle loi
   En a pour toujours fait l'octroi [10]
A Jean, fils ou neveu de Pierre ou de Guillaume,
   Plutôt qu'à Paul, plutôt qu'à moi! »
Jean Lapin allégua [11] la coutume et l'usage;
« Ce sont, dit-il, leurs lois qui m'ont de ce logis
Rendu maître et seigneur, et qui, de père en fils,
L'ont de Pierre à Simon, puis à moi, Jean, transmis.
Le premier occupant, est-ce une loi plus sage? »

Jean de La Fontaine œuvre de Pierre Julien (XVIIIᵉ siècle).

— Or bien, sans crier davantage,
Rapportons-nous, dit-elle, à Raminagrobis. »
C'était un Chat vivant comme un dévot ermite,
   Un chat faisant la chattemite [12],
Un saint homme de Chat, bien fourré, gros et gras,
   Arbitre expert sur tous les cas.
   Jean Lapin pour juge l'agrée [13]
   Les voilà tous deux arrivés
   Devant Sa Majesté fourrée [14]
Grippeminaud leur dit : « Mes enfants, approchez,
Approchez, je suis sourd, les ans en sont la cause. »
L'un et l'autre approcha, ne craignant nulle chose.
Aussitôt qu'à portée il vit les contestants [15],
   Grippeminaud, le bon apôtre,
Jetant des deux côtés la griffe en même temps,
Mit les plaideurs d'accord en croquant l'un et l'autre.

Ceci ressemble fort aux débats qu'ont parfois
Les petits souverains se rapportant aux rois [16].

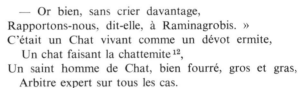

[1] = Dame : titre respectable, ici ironique. [2] = Dieux du foyer chez les Romains, [3] Terme emphatique, ironique, [4] = protecteurs du logis, [5] = sans bruit, tout de suite, [6] Naïveté de Jean Lapin! [7] Noter la valeur physique et morale de l'épithète, [8] Argument de mauvaise foi, [9]C'était (sous-entendu : dit-elle), [10] = fait don, [11] = invoqua, s'appuya sur, [12]Vieux mot = hypocrite, [13] = l'accepte, [14]Emprunté à Rabelais « les Chats Fourrés », de même que le nom de Grippeminaud, [15] = les plaideurs, [16] = faisant appel aux rois.

J.-B. Colbert, par Philippe de Champaigne.

Qu'on examine cette fable à tous les points de vue imaginables : poésie champêtre, construction et rapidité de l'intrigue, souplesse du vers, subtilité et pouvoir suggestif des rythmes

Palais de Versailles. Façade du château, côté jardins. La Cour et les bureaux suivent le roi à Versailles (dès 1682). La royauté s'isole de la nation, la noblesse s'y ruine et s'y corrompt.

et des sonorités, peinture des caractères, art de l'allusion, élargissement naturel du sujet dans le domaine humain — individuel ou international — on la trouvera aussi parfaite... et aussi actuelle!

Pourtant, la transition avec le XVIIIe siècle est encore plus marquée dans l'œuvre de l'évêque aristocrate Fénelon et du bourgeois La Bruyère. Chez ce dernier, il n'y a plus de réflexion sur l'univers ou sur l'homme à la façon de Descartes ou de Pascal : l'aspect moraliste du génie français l'emporte sur tous les autres et même se fragmente soit en maximes (La Rochefoucauld), soit en descriptions de « caractères » (La Bruyère). La psychologie, au lieu de s'insérer et de s'expliquer, comme chez Descartes et Pascal, dans une vaste synthèse philosophique, se contente de tableautins purement critiques. Le style même perd son allure « polyphonique » pour s'émietter en petites phrases incisives, fixant un trait, juxtaposant, par exemple dans ces maximes brèves et antithétiques de La Bruyère (qui vont souvent plus profond que celles de La Rochefoucauld) :

TRANSITION AVEC LE XVIIIe SIÈCLE :
Fénelon,
La Bruyère

Chapelle de Versailles. Pour ses constructeurs, l'art gothique est devenu incompréhensible et barbare. Le théâtre — grandiose mais profane — contamine l'esprit religieux.

Le temps qui fortifie les amitiés affaiblit l'amour.

Il est plus ordinaire de voir un amour extrême qu'une parfaite amitié.

L'amour commence par l'amour; et l'on ne saurait passer de la plus forte amitié qu'à un amour faible.

La Bruyère ne cherche plus à expliquer l'homme à partir des motifs métaphysiques ou religieux qui le meuvent : il le saisit et le dépeint dans son comportement :

Si je compare ensemble les deux conditions des hommes les plus opposés, je veux dire les Grands avec le peuple, ce dernier me paraît content du nécessaire et les autres sont inquiets et pauvres avec le superflu. Un homme du peuple ne saurait faire aucun mal; un Grand ne veut faire aucun bien et est capable de grands maux; l'un ne se forme et ne s'exerce que dans les choses qui sont utiles, l'autre y joint les pernicieuses [= mauvaises] : là se montrent ingénument la grossièreté et la franchise; ici se cache une sève maligne et corrompue sous l'écorce de la politesse : le peuple n'a guère d'esprit, et les Grands n'ont point d'âme; celui-là a un bon fond et n'a point de dehors; ceux-ci n'ont que des dehors et qu'une simple superficie. Faut-il opter [= choisir], je ne balance pas [= je n'hésite pas], je veux être peuple.

On sent venir l'heure où l'élite va se préoccuper surtout du sort terrestre et de la condition sociale de l'homme : le grand XVIIIe siècle, le calomnié, est proche...

LES ARTS

Les arts plastiques de la seconde moitié du XVIIe siècle ne présentent guère d'œuvres comparables à celles qui ont précédé. En architecture, le goût du grandiose, parfois du théâtral, l'emporte sur la fantaisie disciplinée mais plus vivante du premier demi-siècle : que l'on compare par exemple la jolie Place des Vosges de Paris, construite sous Henri IV, et la Place Vendôme, appelée d'abord Place Louis-le-Grand, plus majestueuse mais plus monotone! Versailles absorbe les architectes Louis le Vau, Jules Hardouin-Mansard, Le Nôtre, etc. ainsi que les sculpteurs Girardon (1628-1715) et Coysevox (1640-1720). Travaillant plus en isolé, Pierre Puget (1622-1694) sculpte des œuvres où passe quelquefois un souffle puissant. Le peintre Charles Le Brun (1619-1690) dirige en dictateur la vie artistique et laisse quelques œuvres estimables, de même que Pierre Mignard et Hyacinthe Rigaud. Œuvre de plusieurs générations, le Palais de Versailles est avant tout la création d'un grand monarque, l'exaltation de sa gloire.

J.-B. Lulli, par Antoine Coysevox.

Plus marquée sera l'évolution musicale. Le sévère et intellectuel contrepoint français recule devant les mélodies italiennes, plus chantantes, plus chromatiques, plus passionnées. Jean-Baptiste Lulli (1632-1687) adapte l'opéra italien au goût français, lui ajoutant les danses et développant les chœurs, modelant son récitatif sur la déclamation des tragédiens français dont il adopte la concision et la mesure. Sans délaisser la grandeur, La Lande assouplit encore ce style, l'allège, tandis que Marc-Antoine Charpentier (1634-1704) compose des œuvres religieuses d'une austère et sereine beauté.

Sous la conduite de Colbert, Louis XIV visite les ateliers des Gobelins (détails d'un gobelin).

87

Faits politiques, économiques et sociaux	Littérature

1661 — A la mort de *Mazarin, Louis XIV*, âgé de 23 ans, déclare qu'il gouvernera seul. Pour maintenir la noblesse dans sa dépendance il organise une vie de cour somptueuse, avec un cérémonial hérité de l'Espagne (par sa mère, Anne d'Autriche). Le roi s'appuie sur une administration bourgeoise, qui s'occupe de tout mais finalement isole le monarque de son peuple. *Absolutisme*, mais, au moins dans la première partie du règne, grands serviteurs de l'État : Colbert, Louvois, etc. — et grands généraux : Condé (assagi), Turenne, etc.

Hégémonie française en Europe.

Guerres nombreuses : la France précise ses frontières — acquisition de la Franche-Comté, de Strasbourg et de quelques-uns des futurs départements du nord.

1664 — Fondation de la *Compagnie Française des Indes Occidentales*.

1682 — *Cavelier de la Salle* explore le Mississipi et fonde la *Louisiane* (d'après le nom du roi).

1685 — *Révocation de l'Édit de Nantes* (voir 1598) : persécution des protestants. Catastrophe pour la France : forte émigration.

Vers 1690 — Louis XIV gouverne sans plus s'entourer de bons ministres.

1703 — Début des échecs militaires. Déclin de l'industrie, du commerce et de l'agriculture. Misère.

1713 — La France abandonne certaines parties du Canada.

1715 — *Mort de Louis XIV*. Son successeur et arrière-petit-fils Louis XV a 5 ans.

ECRIVAINS MONDAINS

Le duc de la Rochefoucauld (1613-1680), auteur de « Maximes », *Mme de Sévigné* (1626-1696), célèbre par ses « Lettres », *Mme de Lafayette* (1634-1693), dont les romans psychologiques, en particulier « La Princesse de Clèves », fondent la tradition du roman français. *Mme d'Aulnoy*, (1650-1705), auteur de charmants « Contes de fées », etc.

COMÉDIE

Molière (1622-1673) défend le naturel, la simplicité, la vérité. Aucune forme de comique ne lui est inconnue. *Jean-François Regnard* (1655-1709) continue avec moins de génie dans la même voie. *Jean de la Fontaine* (1621-1695) propose dans ses fables un idéal semblable de mesure et de modestie. Son œuvre est un miroir de la société du temps et de l'homme universel.

TRAGÉDIE

Jean Racine (1639-1699), élève de Port-Royal, est l'auteur de 7 grandes tragédies et d'une comédie. Avec peu de personnages et une intrigue très simple (à la différence de Corneille), il arrive à une puissance de suggestion et de poésie inégalées. Il excelle dans l'analyse des passions qu'il a en partie apprise des auteurs grecs (étudiés à Port-Royal). *Pierre Corneille* (1606-1684) continue de produire et rivalise avec Racine. Plus orateur que poète, il exalte surtout la grandeur humaine, mais n'évite pas toujours l'écueil de la complication et de la grandiloquence. Autres écrivains de théâtre : *Thomas Corneille, Philippe Quinault* et, plus tard, *Campistron*.

ROMAN

Outre *Mme de la Fayette, Furetière*, auteur d'un réaliste «Roman bourgeois», auteur aussi d'un précieux dictionnaire.

ELOQUENCE SACRÉE

Jacques-Bénigne Bossuet (1627-1704) sait unir à une raison sereine une sensibilité lyrique. Un des grands maîtres, avec Pascal, de la prose française. Il écrit des sermons, un « Discours sur l'Histoire universelle » (pour son élève le Grand Dauphin), des ouvrages de spiritualité et de polémique contre les protestants. La fin de sa vie est troublée par les progrès de la libre-pensée (Spinoza, etc.), contre laquelle il n'était pas armé. Autres prédicateurs : *Bourdaloue, Fléchier, Massillon*.

LA THÉORIE

Nicolas Boileau (1636-1711), satiriste, critique, définit dans son « Art poétique » un aspect du classicisme français : son aspect raisonnable. Un philosophe, grand écrivain, *Nicolas de Malebranche* (1638-1715), disciple original de Descartes. C'est vers la fin du siècle que commence la grande crise intellectuelle (1685), qui introduit la civilisation du XVIIIe s. *Jean de la Bruyère* (1645-1696), bourgeois parisien, observe et décrit « Les Caractères » de la ville et de la Cour. Styliste, calculant ses effets, il veut parler « au simple peuple ». Pessimiste mais indulgent. *François Fénelon* (1651-1715), archevêque de Cambrai. Penseur relativement indépendant et hardi, il est suspect à Bossuet et mal vu de Louis XIV, dont il désapprouve le despotisme. Style harmonieux et fluide qui annonce une sensibilité nouvelle. Les libertins, dès 1680, relèvent la tête : *Charles de Saint-Evremond* (1610-1703), *Pierre Bayle* (1647-1706) et *Bernard de Fontenelle* (1657-1757).

1687-1715 — Querelle des Anciens et des Modernes : *Desmarets de Saint-Sorlin*, puis *Antoine de Lamotte-Houdar*, partisans des modernes contre *Charles Perrault* et les grands écrivains du siècle, partisans des anciens.

Architecture, sculpture, peinture, etc.	Musique

L'ARCHITECTURE

A la fin de 1671 est constituée *l'Académie d'Architecture* « afin de travailler au rétablissement de la belle architecture ». La « belle architecture », ce mot signifie ici la recherche d'un maximum de *grandeur* et la soumission de tous à un *idéal dogmatique d'autorité :* la soumission aux Anciens. Ici encore, heureusement, la pratique diffère parfois de la théorie. Les quatre grands architectes de l'époque sont *François Blondel* (1618-1686), disciple de Vitruve (Porte Saint-Denis), *Claude Perrault* (1613-1688), auteur de la colonnade du Louvre, *Louis Le Vau* (vers 1612-1670), auquel succède *Jules Hardouin-Mansard* (1646-1708), bien supérieur, à qui on doit l'essentiel de Versailles. Doué d'une variété d'inspiration extraordinaire et d'une admirable faculté de renouvellement, J. Hardouin-Mansard préparera aussi l'architecture du XVIIIe siècle. A Versailles, l'esthétique classique discipline même la nature : arbres et fleurs (*Le Nôtre*). Versailles absorbe l'activité de la plupart des artistes, soumis à la dictature de Le Brun.

LA SCULPTURE

A Versailles travaillent les deux grands sculpteurs *François Girardon* (1628-1715) et *Antoine Coysevox* (1640-1720) Isolé, *Pierre Puget* (1620-1694) a laissé des œuvres que traverse parfois un grand souffle épique qui rejoint Michel-Ange à travers le Bernin. Versailles est au XVIIe siècle ce que les cathédrales ont été au moyen âge : la matérialisation de son esprit; c'est le symbole de l'absolutisme royal et de l'ordre dit « classique ».

LA PEINTURE

Le peintre *Charles Le Brun* (1619-1690) est l'homme de confiance du roi, le dictateur de l'époque dans le domaine des arts. Il décore le plafond de la Galerie des Glaces : son art nous touche moins aujourd'hui. Autres peintres officiels : *Pierre Mignard* (1610-1695), auteur d'œuvres savantes et conventionnelles, mais aussi de quelques remarquables portraits. Plus tard — et déjà dans le XVIIIe siècle — *Antoine Coypel, Hyacinthe Rigaud* et *Nicolas de Largilierre*. On dirait que l'absolutisme et le sens théâtral du grand roi ont éteint la flamme si pure qui avait illuminé l'œuvre des grands peintres au demi-siècle précédent.

LA TAPISSERIE

La tapisserie connaît un regain d'activité grâce à Colbert, qui crée en 1662 la *Manufacture des Gobelins*. D'autres sont aussi fondées à Beauvais, Tours, Lille, Aubusson. Sous la direction du peintre Le Brun, les sujets sont le plus souvent choisis parmi les scènes royales et entourés de bordures ornementales.

Jean-Baptiste Lulli (1632-1687) est le créateur de l'*opéra français*, c.-à-d. de cette forme (adaptée de l'opéra italien) qui comporte une ouverture solennelle, des récitatifs, des airs, des chœurs, des airs de cour et surtout des danses. Il collabore avec Molière dans les comédies-ballets (« Le Bourgeois Gentilhomme », etc.). Auteur de nombreux opéras, pastorales, suites, grands motets (dont un beau Te Deum) d'une inspiration parfois un peu austère, mais d'une réelle noblesse et qui rejette tous les ornements du bel canto.

Marc-Antoine Charpentier (1634-1704) collabore également avec Molière et écrit de la musique religieuse qui, elle aussi, exprime surtout la grandeur. Au reste la musique religieuse du temps s'illustre surtout dans le grand motet (avec solistes, chœurs, instruments et interludes symphoniques). Les premiers créateurs du genre sont *Nicolas Formé* (1567-1638), *Henri Dumont* (1610-1684) et surtout Michel de La Lande.

Michel de La Lande (1657-1726) est aussi l'un des maîtres de la musique instrumentale française — son œuvre est pleine de verve et de force, d'une expression dense et sobre, d'une composition plus « polyphonique » que celle de Lulli qui emploie davantage les accords plaqués.

François Couperin le Grand (1668-1733) compose des œuvres pour clavecin qui s'inspirent de la tradition française (la *suite*). Il compose au début du XVIIIe siècle, donc à la fin du règne de Louis XIV et après (voir XVIIIe siècle).

Un intérieur bourgeois sous Louis XV, — le peintre Fr. Boucher et sa famille — peint par Boucher lui-même. A l'idéal d'héroïsme ou de grandeur qui a caractérisé le grand siècle succède, dans tous les domaines, une conception de la vie, orientée vers l'intimité, le confort et — de façon générale — vers une meilleure et plus pratique organisation de ce monde. Les arts n'élèvent plus les esprits vers des valeurs chrétiennes ou proprement spirituelles. Ils expriment le plus souvent la joie de vivre, la beauté de la nature et de la société, « ce monde où nous vivons ».

VII

L'HEURE DU DROIT

PREMIÈRE MOITIÉ DU XVIIIᵉ SIÈCLE

Après des siècles de civilisation romaine et l'apport germa-nique, la France du moyen âge (Heure de la Chevalerie, voir page 19) avait donné forme à un certain idéal de chrétienté universelle. A l'époque de Jeanne d'Arc (Heure du Temporel, voir page 35) elle s'était posée plus nettement comme unité originale, distincte des nations voisines. A la Renaissance, elle s'était enthousiasmée pour l'homme universel avide de vérité et de beauté, exalté par la vie (voir page 59). Au XVIIᵉ siècle, après un bon demi-siècle d'exaltation baroque et de culte du Héros (Heure de la Générosité, voir p. 69), elle avait réalisé un équilibre où le divin et l'humain, la raison et le cœur se soutenaient mutuellement, mais où la raison et la foi mettaient l'accent sur les devoirs de l'homme.

RÉSUMÉ DES « HEURES » PRÉCÉDENTES

Déjà à la fin du XVIIᵉ siècle pourtant (Heure de l'Autorité, voir page 69) s'était produit ce que le grand historien Paul Hazard a appelé « la crise de la conscience européenne », et qu'il commente :

DU DEVOIR AU DROIT

A une civilisation fondée sur l'idée de devoir, les devoirs envers Dieu, les devoirs envers le prince, les « nouveaux philosophes » ont essayé de substituer une civilisation fondée sur l'idée de droit: les droits de la conscience individuelle, les droits de la critique, les droits de la raison, les droits de l'homme et du citoyen.

Aussi, préoccupé surtout de réformes, le siècle renonce à la recherche du « pourquoi » des choses (nature de Dieu, de l'âme, du corps) et limite son ambition au « comment »

Montesquieu. Médaille de Dassier (1753).

Nous devons employer cette intelligence, dont la nature est inconnue, à perfectionner les sciences qui sont l'objet de l'Encyclopédie, comme les horlogers emploient des ressorts dans leurs montres, sans savoir ce que c'est que le ressort.

91

Le Grand Trianon à Versailles (1687), par Jules Hardouin-Mansard, appartient à l'époque précédente, mais il manifeste déjà l'esprit de l'architecture du XVIIIᵉ (voir plus loin le Petit Trianon).

SCHISME DE L'ESPRIT ET DU CŒUR

Dès lors, tout se passe comme si la raison, devenant raisonnement et critique, laissait la sensibilité à elle-même et ne se préoccupait plus de l'harmoniser à l'esprit. Privée de cette « générosité » ou de cette foi qui illuminait les visages des paysans de Georges de La Tour, la sensibilité semble avoir peine à retrouver un appui et un équilibre; elle a souvent tendance à se dégrader en sentimentalité ou en sensiblerie. La poésie, du reste, paraît morte : elle est généralement méprisée et, seule peut-être dans ce siècle en mouvement, elle s'immobilise dans les règles de l'imitation.

ÉTAT SOCIAL

Mais revenons à la fin du règne de Louis XIV. L'Église, comme la Cour, est discréditée, la première par la mauvaise foi des théologiens — la seconde par son hypocrisie religieuse, par les persécutions des protestants et le chaos politique où elle a plongé la France : impôts trop lourds, misère sociale, despotisme.

NOUVELLE PRÉOCCUPATION : L'AVENIR

On ne songe plus, comme à la Renaissance, à chercher des réponses dans l'Antiquité : les problèmes de la société sont trop nouveaux, la France a produit trop de chefs-d'œuvre et

92

La leçon d'amour, d'Antoine Watteau (vers 1716). La sensibilité de Watteau demeure vibrante et discrètement teintée de mélancolie.

Descartes a appris aux penseurs à ne se fier qu'à l'évidence. La fameuse « Querelle des Anciens et des Modernes » se termine par la victoire générale des modernes autour de l'idée de *Progrès*. Pour introduire ce progrès dans la société, il faut nécessairement se spécialiser, recourir aux sciences, au raisonnement, à l'expérience, réagir contre le régime et l'Église. A cet effet la philosophie anglaise paraît apte (Locke), de même que la science anglaise (Newton) et la morale anglaise (Shaftesbury). Au XVIIIe siècle les Français apprennent l'anglais, comme ils avaient appris l'italien au siècle précédent et comme ils apprendront l'allemand au XIXe.

Voltaire jeune, par M. Quentin de la Tour.

Une fois de plus, une certaine évolution se constate vers la moitié du siècle. Les cinquante premières années sont plus nettement celles du *rationalisme* (bien que ce rationalisme doive s'exprimer sous des formes voilées) avec des écrivains comme Montesquieu, Diderot, Voltaire et même, plus tard, dans l'Encyclopédie; le second demi-siècle verra se renforcer le *courant émotionnel* puissant, démesurément grossi par J.-J. Rousseau. Pourtant, répétons-le, il n'y a pas de séparation radicale : pendant tout le siècle, raisonnement et sensibilité évoluent parallèlement, et tous deux s'expriment par des systèmes.

LES DEUX MOITIÉS DU SIÈCLE

Dans la première moitié du siècle, la critique est d'abord exercée par des vulgarisateurs de talent, poursuivant l'œuvre

PREMIÈRE MOITIÉ DU SIÈCLE : CRITIQUE VOILÉE

93

INFLUENCE DES
CIVILISATIONS
ÉLOIGNÉES :
L'ŒUVRE DE
MONTESQUIEU

des libertins du XVIIᵉ siècle dont le plus remarquable avait certainement été Pierre Bayle (1647-1706). Fontenelle (1657-1757) et Montesquieu (1689-1755) agissent d'abord prudemment. Fontenelle avait publié son *Histoire des Oracles* dès 1687 pour prouver — semble-t-il — que les oracles païens n'étaient pas l'œuvre des démons mais une invention des prêtres. Fort bien! mais des oracles païens aux miracles chrétiens, le chemin n'était pas très long et tout le monde comprenait à demi-mot! Aussi le clergé voulut-il faire brûler l'ouvrage. *L'histoire* et *la sociologie* commencent donc de retenir l'attention. De plus, un genre jusque-là secondaire prend soudain une grande vogue : *le roman*. Il y en aura de réalistes, de psychologiques, de sensibles, de philosophiques. Et il y aura les *Lettres Persanes*, voilà un titre que la Renaissance n'eût pas imaginé. C'est qu'aujourd'hui on attend la vérité d'autres régions que de Rome ou de la Grèce. On a découvert le Canada, la Perse, la Chine surtout, pays athée et honnête! A l'aristocrate gascon qu'est Montesquieu, *le Persan* vient bien à point : *il critique*, sans trop en avoir l'air, les institutions politiques et religieuses. Montesquieu publie encore d'autres ouvrages, parcourt l'Europe, étudie et publie en 1748 son œuvre capitale *L'Esprit des Lois*. Il y montre que toute science politique doit commencer par une étude approfondie des

phénomènes physiques, psycho-physiologiques et économiques, sans sacrifier pour autant la liberté humaine. Dans le texte qui va suivre, Montesquieu, maniant l'ironie, semble prendre à son compte les arguments des esclavagistes. Son action, jointe à celle des autres philosophes, aboutira à la suppression de l'esclavage par la Convention en 1794 :

L'ironie constructive

Si j'avais à soutenir le droit que nous avons eu de rendre les nègres esclaves, voici ce que je dirais :
Les peuples d'Europe ayant exterminé ceux de l'Amérique, ils ont dû mettre en esclavage ceux de l'Afrique, pour s'en servir à défricher tant de terres.
Le sucre serait trop cher, si l'on ne faisait travailler la plante qui le produit par des esclaves.
Ceux dont il s'agit sont noirs depuis les pieds jusqu'à la tête; et ils ont le nez si écrasé, qu'il est presque impossible de les plaindre.
On ne peut se mettre dans l'esprit que Dieu qui est un être très sage ait mis une âme, surtout une âme bonne, dans un corps tout noir...
Une preuve que les nègres n'ont pas le sens commun, c'est qu'ils font plus de cas d'un collier de verre que de l'or, qui chez des nations policées est d'une si grande conséquence.
Il est impossible que nous supposions que ces gens-là soient des hommes, parce que, si nous les supposions des hommes, on commencerait à croire que nous ne sommes pas nous-mêmes chrétiens.
De petits esprits exagèrent trop l'injustice que l'on fait aux Africains : car, si elle était telle qu'ils le disent, ne serait-il pas venu dans la tête des princes d'Europe, qui font entre eux tant de conventions inutiles, d'en faire une générale en faveur de la miséricorde et de la pitié ?

Guillaume Coustou : Un des chevaux de Marly (statue de la Place de la Concorde).

95

La mentalité française, dans la nouvelle forme qu'elle prend, au XVIIIᵉ siècle en général et chez Montesquieu en particulier, continue de placer l'homme au-dessus de tous les particularismes : elle témoigne de la même foi dans l'homme, de la même absence de racisme et de nationalisme, de la même primauté de l'esprit. Montesquieu ira jusqu'à écrire :

Si je savais quelque chose d'utile à ma patrie et qui fût préjudiciable à l'Europe et préjudiciable au Genre Humain, je le regarderais comme un crime.

Écho, à cinq siècles de distance, de la parole de saint Louis à son fils aîné :

Fais-toi aimer par le peuple de ton royaume; car vraiment j'aimerais mieux qu'un Écossais vînt d'Écosse et gouvernât le peuple du royaume bien et loyalement à ta place, si tu le gouvernais comme un incapable.

Annonce aussi de la déclaration de Saint-Exupéry :

Si je défends ma patrie c'est en tant qu'elle représente une civilisation, des concepts, un langage, un certain type d'homme.

Marivaux, par J. B. Van Loo (1735).

Cette mentalité deviendra, sous l'influence de la France, celle de toute l'Europe cultivée. Ce qui est nouveau, c'est l'application de cette conception de l'homme à la vie concrète (politique, sociale, économique), *la volonté de modifier immédiatement les conditions de vie* de l'humanité.

LES ARTS

— *La peinture*

La sensibilité artistique atteint un sommet de raffinement et de délicatesse dans l'œuvre d'Antoine Watteau (1684-1721) — dont l'atmosphère évoque celle des œuvres du dramaturge Marivaux (1688-1763). Elle n'est ni religieuse, ni héroïque, mais se nourrit d'une perpétuelle, vaporeuse et mélancolique « fête galante ». Les nuances imperceptibles mais infailliblement notées de Watteau, comme celles de Marivaux, sont vraies, sans galimatias ni obscurité. Et Watteau — comme Marivaux — reste moderne. Des autres artistes qui commencent à peindre avant 1750 (Boucher, Chardin, La Tour, etc.) nous parlerons au chapitre suivant. La même évolution vers la fantaisie et la grâce, la même réaction contre l'académisme du règne de Louis XIV se constate dans l'architecture avec Jacques Gabriel (1667-1742), Héré (1705-1763), ainsi que dans la sculpture avec les Coustou (Nicolas et Guillaume), Bouchardon, un peu froid, et surtout Girardon (mort en 1715).

J. M. Nattier : Portrait d'une fille de Louis XV.

En musique, André Campra (1660-1744) et François Couperin le Grand (1668-1733) ont pour idéal « de marier le goût français au goût italien ». Pourtant quoi de plus français que l'œuvre de Couperin dont la forme raffinée tire sa force de la concision et de la fermeté du trait qu'il ne doit pas à l'Italie et que Ravel prendra comme idéal! André Destouches (1672-1749) enfin « sorte de Moussorgsky français » étudie au petit bonheur et se permettra des harmonies d'une grande hardiesse. Il déteste la virtuosité et préfère la musique française qui « dans sa simple concision exige plus de profondeur et de subtilité ». J.-M. Leclair (1697-1764) se forme un langage intensément personnel dans ses symphonies et concertos. Néanmoins le génie qui domine le siècle est Jean-Philippe Rameau (1683-1764), l'homme du siècle des lumières, aussi rigoureux théoricien que compositeur inspiré. Pur musicien, il revivifie par la richesse symphonique les opéras de son temps, ce qui lui sera reproché par Rousseau dans la fameuse querelle des Bouffons[1]. Sa mort marquera le déclin momentané de la musique française. Debussy a finement décrit cette musique

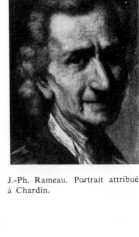

François Couperin. Portrait par École française XVIIIe siècle.

faite de tendresse délicate et charmante, d'accents justes, de déclamation vigoureuse dans le récit, sans cette affectation à la profondeur allemande ni le besoin de souligner à coup de poing, d'expliquer à perdre haleine, mais avec cette clarté dans l'expression et ce ramassé dans la forme, qualités particulières et significatives du génie français. (R. Roland Manuel).

[1] Querelle née en 1752 à la suite d'une représentation donnée à Paris par la troupe italienne des Bouffons. Elle opposa une fois de plus les partisans de la musique française à ceux de la musique italienne.

J.-Ph. Rameau. Portrait attribué à Chardin.

« Crédit est mort » Gravure populaire sur la chute du système de Law. Le bouleversement des fortunes et le mélange plus complet des classes sociales qui en résultent, fait sentir encore davantage l'injustice des privilèges.

Faits politiques, économiques et sociaux	Littérature

Le fait politique et économique le plus saillant de la première moitié du siècle, celui également qui a les conséquences sociales les plus importantes, est sans doute l'expérience du banquier écossais John Law (1671-1729). Incapable de redresser la situation et ne voulant pas convoquer les États-Généraux, la Régence essaie d'assainir ses finances au moyen du *crédit*. Law fonde la Compagnie d'Occident (1717) pour l'exploitation du Mississipi (Louisiane). Cette Compagnie devient bientôt Compagnie des Indes (1719) en reprenant les privilèges des anciennes Compagnies (Chine, Afrique, Guinée, Saint-Domingue). Projet grandiose et qui, espérait-on, dispenserait bientôt la France de recourir aux impôts. Certes la Banque et le billet de banque étaient connus avant Law, mais son originalité a été de penser qu'il résoudrait par son système les difficultés de l'État. Sa banque, qui devient Banque Royale, trouve les capitaux au moyen d'actions achetées par le public. Mais Law promet des revenus trop rapides et trop élevés. Le public s'affole et c'est la ruine. Il en est résulté un bouleversement des fortunes et un mélange plus complet des classes sociales qui fera sentir encore davantage l'injustice des privilèges. Law a eu le tort de venir trop tôt, car si la technique bancaire était déjà avancée, le système de production était encore trop faible pour le soutenir.

1715 — *Mort de Louis XIV* et régence du duc d'Orléans (jusqu'en 1723).

1717-1719 — Système de Law : prospérité et ruine.

1717 — Fondation de la Nouvelle-Orléans, capitale de la Louisiane.

1718 — Introduction de la Franc-Maçonnerie en France.

1726-1743 — Le cardinal *Fleury* est nommé premier ministre et redresse la situation. En 1740, la France est en pleine prospérité. Elle commet la fatale erreur de s'engager dans la guerre de la Succession d'Autriche, espérant conquérir les Pays-Bas.

1740-1763 — Rivalité des Compagnies françaises et anglaises aux Indes où *Dupleix* étend l'influence française.

1740-1748 — Guerre de la Succession d'Autriche.

1743 — *Louis XV* exerce personnellement le pouvoir jusqu'en 1758, année où il prend comme ministre *Choiseul*.

A la fin du siècle précédent, le nouvel esprit, critique et revendicateur, a déjà pris nettement forme avec *Pierre Bayle* (1647-1706) qui s'oppose dans tous les domaines aux préjugés de la tradition et de l'autorité (« Dictionnaire historique et critique »).
Bernard de Fontenelle (1657-1757) qui vulgarise avec esprit les nouvelles découvertes des sciences et de l'histoire (« La Pluralité des Mondes »).
La pensée anglaise de Newton et de Locke exerce une profonde influence. Les salons, tenus par des femmes intelligentes, entretiennent et répandent le goût de la raison : Mmes de Lambert, de Tencin, du Deffand, etc.

PENSEURS
Charles de Montesquieu (1689-1755) unit à l'amour de la raison un vrai respect de l'homme. Il critique la société dans ses « Lettres Persanes » et publie ensuite plusieurs œuvres de caractère plus sérieux (dont « L'Esprit des Lois »), qui montrent en lui le penseur le plus profond du siècle. Il y étudie la nature des lois et leurs rapports. Il tâche, entre autre, de prouver la supériorité d'un système qui respecte la liberté et sépare les pouvoirs (exécutif, législatif et judiciaire). Il élabore aussi une théorie sur l'influence des climats et du terrain dans la vie économique et politique des peuples.
Voltaire (1694-1778) propage le déisme et la tolérance. S'attaque aux abus (torture, inégalité, etc.) Veut le bonheur terrestre par la paix, la liberté et la justice. Loue la civilisation et le luxe.
Luc de Vauvenargues (1715-1747) tient une place à part. Solitaire, psychologue, soucieux de morale, il se désintéresse de la religion et de la philosophie. Disciple de Plutarque, il a le culte de l'action et recommande de suivre les généreuses impulsions de l'instinct. Bien que d'une finesse de goût toute classique, il fait parfois songer à Rousseau.

ENCYCLOPÉDIE
Diderot y travaille depuis 1746 (voir chapitre suivant). Autres philosophes du groupe encyclopédique : d'Alembert, Helvétius, Duclos, Marmontel, Raynal, Grimm, d'Holbach, Bonnot de Mably, Condillac et, le dernier en date, Condorcet. En face des *encyclopédistes*, il faut signaler les *économistes* ou *physiocrates :* François Quesnay, Vincent de Gournay, Mirabeau (père de l'orateur), Malesherbes et le ministre Turgot. Ils s'entendent bien avec les Encyclopédistes mais ont une doctrine plus rationnelle sur l'économie politique : l'unique source de richesse est la terre.

COMÉDIE
Dancourt et *Le Sage*, successeurs de Regnard, s'orientent davantage vers la peinture des mœurs et la satire. La comédie devient moralisante et larmoyante avec *Destouches* et *La Chaussée* tandis qu'un genre nouveau — celui de l'analyse minutieuse et raffinée des sentiments — est créé par le grand génie théâtral du temps, *Marivaux* (1688-1763).

TRAGÉDIE
Lagrange-Chancel et *Crébillon* composent des mélodrames. *Voltaire* veut imiter Racine, mais il n'a pas son génie. Il introduit des thèses dans ses pièces et se laisse un peu influencer par Shakespeare (détails extérieurs).

Architecture, sculpture, peinture, etc.	Musique

L'ARCHITECTURE

En réaction contre l'académisme du siècle précédent, une architecture nouvelle apparaît, charmante, légère, *gracieuse*. Sous le règne même de Louis XIV cette réaction commence à se manifester (Trianon de *Jules Hardouin-Mansard* en 1687). Les architectes doivent tenir compte des nouveaux goûts de confort et d'*intimité*. On se préoccupe aussi d'*urbanisme* : places royales de Rennes et de Bordeaux (œuvre de *Héré*, 1705-1763). Il suffit de comparer cette dernière à la place Vendôme (de Louis XIV) pour sentir la différence d'esthétique : celle de Louis XIV sévère, celle du XVIIIe toute de fine sensibilité. *Robert de Cotte* construit nombre d'hôtels particuliers. Toute cette architecture de style Louis XV est, comme le gothique, une création typiquement française.

LA SCULPTURE

La sculpture recherche elle aussi la vivacité et la grâce. Les frères *Coustou*, surtout *Guillaume* (1677-1746), les *Adam*, *Robert Le Lorrain*, les *Lemoyne* (père et fils) s'écartent de la solennité de Versailles et créent des œuvres onduleuses et *remuantes*. Plus froid en réaction contre cette tendance, *Edme Bouchardon* (1698-1762) donne déjà l'atmosphère, « antique » et plus réfléchie, de la seconde moitié du siècle.

LA PEINTURE

De tous les peintres, le plus grand de l'époque est *Antoine Watteau* (1684-1721). Il crée en peinture le style « rococo » avec un grand charme de coloris, une vie étonnante et une finesse qui laisse place à la profondeur et à une discrète mélancolie. L'art du *portrait*, si typiquement français dans sa tendance psychologique, est représenté par de nombreux talents : *Nattier*, *Oudry*, *Van Loo* et surtout par les deux pastellistes rivaux *Quentin de la Tour* (1704-1788), dont la clientèle est aristocratique, et *Perronneau* (1715-1783), à clientèle bourgeoise et dont l'inspiration est plus réaliste.

Rigaud, *Largilierre* et *Desportes* poursuivent la *tradition* du grand siècle mais avec plus de chaleur et de couleur.

François Boucher (1703-1770) est l'antithèse de Watteau. Son art est aussi extérieur et superficiel que celui de Watteau est secret et spirituel. Art de décoration mythologique, art sensuel et d'opéra. Ses deux élèves, *Lancret* et *Pater*, brodent sur les mêmes thèmes. *Jean-Baptiste Chardin* (1699-1779), avant 1770, n'use pas du pastel. Il peint des natures mortes, des scènes de la vie des petites gens, avec une science extraordinaire du clair-obscur, de la construction et du coloris. Avec Watteau, il est peut-être le peintre de cette époque, qui nous est resté le plus proche.

Deux grands noms dominent l'époque — qui est celle de J.-S. *Bach* et de *Hændel*.

François Couperin le Grand (1668-1733), organiste du roi et claveciniste. Il s'inspire de la tradition française (la *suite*), mais il assimile aussi l'esthétique de Corelli. Sans pathétisme mais avec une concision plus marquée que dans la tradition italienne, son œuvre, toute d'émotion discrète et de suprême élégance, dépeint la nature et les hommes.

Jean-Philippe Rameau (1683-1764), organiste, claveciniste, compositeur d'opéras et de motets, théoricien de la musique, invente de nouvelles sonorités et un nouveau coloris orchestral. Son art, plus souple que celui de Lulli, fait pressentir le chant dramatique moderne et unifie davantage les différentes parties de l'opéra. *Gluck* suivra la même voie vers le naturel, ajoutant pourtant une certaine « rhétorique sentimentale » dont l'œuvre de Rameau est dépourvue. Dans ses « Suites pour clavecin », il continue la tradition française du pittoresque.

AUTRES MUSICIENS

André Campra (1660-1744) succède à La Lande à la Chapelle Royale. Il réussit à concilier le goût italien (expressivité, chromatisme, modulation, c.-à-d. changement de tonalités) avec le goût français de la belle construction, de la rigueur et de la discrétion. Son « Europe galante » — qui décrit la musique des diverses nations de l'Europe — prouve un talent plus souple et plus varié que celui de Lulli. Il profite des leçons des Italiens pour libérer l'orchestre. Son art est porté à la perfection par Rameau.

André Destouches (1672-1749), d'une grande fraîcheur et spontanéité d'inspiration.

Jean-Joseph Mouret (1682-1738) compose dans la ligne de la chanson populaire française avec aisance et légèreté.

Jean-Marie Leclair (1697-1764), élève des Italiens, peut rivaliser avec les plus grands maîtres. Ses symphonies et concertos ont une richesse d'accents qui n'appartiennent qu'à lui.

Littérature (suite)

ROMAN

Lesage renouvelle le roman de mœurs et *Marivaux* dépeint les mœurs et les caractères. L'abbé *Prévost* analyse la fatalité des passions (« Manon Lescaut »).

MÉMOIRES

Duc de Saint-Simon, aristocrate borné mais écrivain au style fort et imagé.

POÉSIE

Petits vers de salon : *Lamotte-Houdar*. Odes sans lyrisme : *Jean-Baptiste Rousseau*. Poèmes didactiques : *Louis Racine*, etc.

« Deux grands fleuves traverseront tout le siècle: l'un, le courant rationaliste; l'autre, menu dans ses commencements, mais qui plus tard débordera ses rives, le courant sentimental » (P. Hazard). J.-J. Rousseau essaie de rendre un absolu à l'univers par sa doctrine — très simple — de l'Etre Suprême adoré dans la nature et dans l'instinct. — Illustration pour l'*Emile*, de Moreau le Jeune.

VIII

L'HEURE DES CŒURS SENSIBLES

DEUXIÈME MOITIÉ DU XVIIIe SIÈCLE

Le XVIIe siècle avait réussi à hiérarchiser harmonieusement les facultés humaines. Au XVIIIe, surtout dans la seconde moitié, on dirait que la sensibilité, détachée de la raison, ne sait plus à quel saint se vouer. A côté de l'intelligence qui se satisfait du monde visible, la sensibilité se défend comme elle peut (quand elle n'est pas remplacée par la sensation!). Elle subtilise dans les charmantes comédies de Marivaux, se veut fatale et ennemie de l'intelligence avec l'abbé Prévost, par exemple dans son *Manon Lescaut*, devient avec Diderot (1713-1784) enthousiasme, délire, révélation. Elle larmoie avec le peintre Greuze (voir page 108) et dans les pièces de La Chaussée. Enfin, tandis que Voltaire monopolise l'esprit (au sens d'esprit critique et mordant), Rousseau se fait le champion du cœur, mais d'un cœur qui n'a plus grand-chose de pascalien : au lieu d'y voir le prolongement et comme les fines antennes de la raison, Rousseau a tendance à l'opposer à celle-ci, à l'identifier au trouble. Il exalte le moi, le lyrisme individuel, le goût de la mélancolie, de la nature et de la solitude, ce qui ne l'empêche pas d'exposer ses idées dans des systèmes rigoureux sur l'éducation et la société.

Denis Diderot, par J.-H. Fragonard.

Pour saisir la différence de mentalité entre Voltaire et Rousseau, nous lirons deux lettres qui se veulent l'une et l'autre ironiques. Mais alors que l'ironie voltairienne est intellectuelle, aristocratique, toute en pointes, l'ironie rousseauiste, passionnée et plébéienne, est déjà révolutionnaire. L'une et l'autre pourtant sont parfaitement mesurées et sûres de leurs moyens d'expression.

Voltaire (1694-1778) répond à Rousseau qui lui avait envoyé son *Discours sur l'inégalité* (1755). Amoureux de la civili-

101

J.-J. Rousseau, par Allan Ramsey. Quand la civilisation française voudra fonder son nouvel idéal — la Nation et la fraternité des peuples — c'est de Rousseau, plus encore que de Voltaire, qu'elle s'inspirera.

sation, Voltaire n'admet guère la thèse de Rousseau qui veut que la Société, et en particulier les Sciences et les Arts, aient causé la corruption de l'homme. L'état de nature n'a rien pour le séduire. Voici donc sa réponse. Se moque-t-il? Est-il sérieux? Gentil ou méchant?

J'ai reçu, monsieur, votre nouveau livre contre le genre humain; je vous en remercie. Vous plairez aux hommes, à qui vous dites leurs vérités, mais vous ne les corrigerez pas. On ne peut peindre avec des couleurs plus fortes les horreurs de la société humaine, dont notre ignorance et notre faiblesse se promettent tant de consolations.

102

On n'a jamais employé tant d'esprit à vouloir nous rendre bêtes; il prend envie de marcher à quatre pattes, quand on lit votre ouvrage. Cependant, comme il y a plus de soixante ans que j'en ai perdu l'habitude, je sens malheureusement qu'il m'est impossible de la reprendre, et je laisse cette allure naturelle à ceux qui en sont plus dignes que vous et moi. Je ne peux non plus m'embarquer pour aller trouver les sauvages du Canada : premièrement, parce que les maladies dont je suis accablé me retiennent auprès du plus grand médecin de l'Europe et que je ne trouverais pas les mêmes secours chez les Missouris; secondement, parce que la guerre est portée dans ces pays-là, et que les exemples de nos nations ont rendu les sauvages presque aussi méchants que nous. Je me borne à être un sauvage paisible dans la solitude que j'ai choisie auprès de votre patrie [la Suisse], où vous devriez être.

Le Petit Trianon à Versailles, œuvre de Jacques-Ange Gabriel. C'est peut-être, dans sa simplicité et sa pureté, la plus géniale réalisation de l'architecture du XVIIIe siècle.

Peut-on être plus naturel, plus spontané... et plus piquant! Chaque ligne apporte un argument nouveau en faveur des idées de Voltaire et ruine les idées que Voltaire attribue à Rousseau : la vanité des sciences (médecine), la perfection du bon sauvage (la guerre). L'esprit, aiguisé comme un scalpel, dissèque impitoyablement le système opposé.

ROUSSEAU LE RÉFORMATEUR

Que sera l'ironie de Rousseau (1712-1778), fils du peuple, lyrique, émotif, s'attaquant non pas comme Voltaire à tel ou tel abus, mais au fondement même de la Société? Rousseau a été formé par cette aristocratie qui, plus tard, au sens fort du terme, lui donnera des « complexes ». Précepteur, musicien (et partisan, il va sans dire, de la musique italienne plus sentimentale et moins aristocratique que la française), secrétaire d'ambassade à Venise, puis végétant à Paris, il entre dans la gloire en 1750 par sa première publication sur les sciences et les arts. Sa physionomie est dorénavant fixée : il sera le champion de la pauvreté, de la vie simple et de la vertu. Malade, brouillé avec tous ses amis, même ceux de l'Encyclopédie, il publie coup sur coup des chefs-d'œuvre dont l'influence dépassera dans le temps — et de beaucoup — celle de Voltaire : *La Nouvelle Héloïse*, *Le Contrat social*, *Émile*, les *Confessions*. Le style n'en est plus celui — lucide et analytique — auquel le XVIIIᵉ siècle nous a jusqu'ici habitués (voir page 95) : le lyrisme et le sens religieux de Rousseau nécessitent une phrase ample et souple, un rythme où la passion puisse se déployer. Dans la lettre qui suit (lettre qu'il n'a pas osé envoyer!), Rousseau dévoile la nature de sa *sensibilité* en même temps que celle de son *ironie*. Il s'agit d'une injustice causée par un noble à une pauvre vieille femme.

Louis XV, pastel par M. Quentin de la Tour.

29 décembre 1754

Sans avoir l'honneur, Monsieur, d'être connu de vous, j'espère qu'ayant à vous offrir des excuses et de l'argent, ma lettre ne saurait être mal reçue.

J'apprends que Mlle de Cléry a envoyé de Blois un panier à une bonne vieille femme, nommée Mme Le Vasseur, et si pauvre qu'elle demeure chez moi; que ce panier contenait, entre autres choses, un pot de vingt livres de beurre; que le tout est parvenu, je ne sais comment, dans votre cuisine; que la bonne vieille, l'ayant appris, a eu la simplicité de vous envoyer sa fille, avec la lettre d'avis, vous demander son beurre ou le prix qu'il a coûté, et qu'après vous être moqués d'elle, selon l'usage, vous et madame votre épouse, vous avez, pour toute réponse, ordonné à vos gens de la chasser.

L'assemblée au salon, d'après une gouache de N. de Lavreince. Au XVIIIᵉ siècle les salons ne sont pas seulement des lieux de réunions mondaines mais des centres de diffusion de la culture et de la science.

105

J'ai tâché de consoler la bonne vieille femme affligée, en lui expliquant les règles du grand monde et de la grande éducation; je lui ai prouvé que ce ne serait pas la peine d'avoir des gens, s'ils ne servaient à chasser le pauvre quand il vient réclamer son bien; et, en lui montrant combien justice et humanité sont des mots roturiers, je lui fait comprendre, à la fin, qu'elle est trop honorée qu'un comte ait mangé son beurre. Elle me charge donc, Monsieur, de vous témoigner sa reconnaissance de l'honneur que vous lui avez fait, son regret de l'importunité qu'elle vous a causée, et le désir qu'elle aurait que son beurre vous eût paru bon.

Que si, par hasard, il vous en a coûté quelque chose pour le port du paquet à elle adressé, elle offre de vous le rembourser comme il est juste. Je n'attends là-dessus que vos ordres pour exécuter vos intentions, et vous supplie d'agréer les sentiments avec lesquels j'ai l'honneur d'être, etc...

LE DROIT
« SENSIBILISÉ »

En ces lignes, un nouveau mode de la sensibilité se fait jour, celui qui va se généraliser au cours de la Révolution française et soutenir l'action d'un Robespierre : sensibilité sociale, moralisante et « vertueuse ». N'allons pas croire pourtant que Rousseau ait prévu ou voulu la Révolution : elle l'aurait sans doute étonné. Mais à l'idée de « droit » défendue par tant d'intellectuels Rousseau apporte l'immense soutien de l'émotion. Cette même *indignation*, on la sent aussi chez le second auteur comique du siècle, Beaumarchais (1732-1799). Nous

sommes loin ici des grâces inoffensives de Marivaux. Figaro s'écrie quand il apprend que son maître, le comte Almaviva, veut lui voler sa fiancée :

Non, Monsieur le Comte, vous ne l'aurez pas... vous ne l'aurez pas... Parce que vous êtes un grand Seigneur, vous vous croyez un grand génie!... Noblesse, fortune, rang, des places : tout cela rend si fier! Qu'avez-vous fait pour tant de biens? Vous vous êtes donné la peine de naître, et rien de plus.

On s'est parfois étonné que la révolution ait eu lieu dans un pays relativement aussi prospère et aussi heureux que la France du XVIIIe siècle. Cette révolution a sans doute plus d'une cause, mais pour un bon nombre de Français, elle a été certainement bien accueillie parce qu'ils avaient pris conscience de leur dignité et qu'ils ne voulaient plus d'un bonheur accordé comme une faveur : *ils exigeaient leurs droits.*

Tous ces écrits et idées éveillaient des échos dans l'Europe entière. Admirée par l'univers, la France aurait pu être tentée de s'adorer elle-même. Or, bien au contraire, elle s'abandonne à l'anglophilie, crée des clubs, boit du thé et préfère les parcs à l'anglaise aux jardins à la française. Elle accueille avec

APPROCHE DE LA RÉVOLUTION

LA CIVILISATION FRANÇAISE S'OUVRE AU MONDE : COSMOPOLITISME

107

avidité les apports de l'étranger : philosophie, science et littérature. Jamais elle n'a été aussi peu particulariste, jamais elle n'a tant fait confiance à l'homme, à tous les hommes. C'est dans cette perspective qu'il faut se placer pour comprendre la déclaration exaltée de Schopenhauer : « Il n'y a pas d'autre civilisation que celle de la France. Cela ne souffre pas d'objection; c'est la raison même; elle est nécessairement vraie. »

LES ARTS

Dans la seconde moitié du XVIIIe siècle, les arts reflètent les tendances dont nous venons de parler. Au nom de la « nature » (en fait, par sentimentalité ou sensiblerie) les Encyclopédistes et Rousseau (auteur d'un petit opéra *Le Devin de village*) réclament un chant simple et facile, sans harmonie compliquée. Gluck succède à Rameau, dit-on souvent. Sans doute, mais son art est beaucoup plus cosmopolite. Il faut cependant citer Grétry (1741-1813), Liégeois d'origine (comme plus tard César Franck), ami de Voltaire et formé par les Italiens : le « Massenet du XVIIIe siècle »! Mais ce « Massenet » sait garder son bon sens et éviter les ornements à la mode : musicien grêle mais qui exprime toute la grâce du siècle finissant.

— *La musique*

— *La peinture*

La peinture française perd le goût de la solennité qui avait caractérisé le XVIIe siècle. François Boucher (1703-1770), doué d'un grand sens décoratif, exprime, dans la lumière et dans la joie, l'aspect frivole et sensuel de son époque. Quentin de La Tour (1704-1788), plus discret, triomphe dans le pastel et se flatte — à juste titre — de fixer l'individualité psychologique de chacune des personnes — toujours de la haute société — dont il fait le portrait. Peintre plus pur encore, Jean-Baptiste Chardin (1699-1779) dépeint, avec tendresse et vérité, la vie des petites gens et les objets de la vie quotidienne. Par sa science du clair-obscur et la délicatesse de son coloris, il dépasse souvent les meilleurs intimistes hollandais du XVIIe siècle. Jean-Baptiste Greuze (1725-1805), son élève, se préoccupe de moraliser et d'édifier — ce qui lui vaut l'admiration éperdue de l'écrivain, encyclopédiste et critique d'art, Diderot. Enfin, Jean-Honoré Fragonard (1732-1806), élève de Chardin et surtout de Boucher, fait éclater dans son œuvre variée, nerveuse et parfois scabreuse, toute l'allégresse et la vivacité du Midi dont il est originaire. A la fin du siècle un préromantisme

Edme Bouchardon : Détail de la fontaine de la rue de Grenelle, à Paris. Bas-relief de l'Automne (1739-45).

La blanchisseuse, par J.-B. Chardin. Chardin, le seul génie entre Watteau et la fin de la Révolution. Il réalise le maximum de présence dans les objets les plus ordinaires, qu'il simplifie pour en extraire de pures harmonies de formes et de couleurs. « Notre temps n'a pas de peine à voir poindre dans son œuvre, non pas un art réaliste, mais l'art moderne » (A. Malraux).

se fait jour, avec Joseph Vernet (1714-1789), maître de la lumière, Hubert Robert (1733-1806), le peintre des ruines, et Louis Moreau (1740-1806), un précurseur de Corot. La peinture d'histoire commence sa carrière avec David (1748-1825). Les architectes Jacques-Ange Gabriel (1698-1782), Victor Louis, François Bélanger subissent l'influence de l'antiquité (Herculanum et Pompéi viennent d'être découverts). Ils continuent l'esthétique de Mansard (voir page 86) mais avec beaucoup moins d'académisme et infiniment plus de grâce. Le Petit Trianon (1762), dû à Ange-Jacques Gabriel, est l'une des expressions les plus exquises de cet art du XVIIIe siècle qui est une création aussi typiquement française que l'art gothique. Les sculpteurs Edme Bouchardon (1698-1762) et surtout Jean-Antoine Houdon (1741-1828) conçoivent des œuvres graves et personnelles, d'un naturel vrai et d'une sobriété qui s'inscrivent dans la tradition des siècles passés et qui l'enrichissent. Pigalle et Falconet laissent également des œuvres significatives, captant dans le bronze, comme les pastellistes dans leurs portraits, la nuance fugace d'un instant ou la nuance gracieuse ou noble d'un modèle.

— *L'architecture et la sculpture*

J.-B. Pigalle : Le peuple. Détail du monument de Louis XV à Reims.

109

Faits politiques, économiques et sociaux	Littérature

De 1748 à 1756, années capitales pour l'histoire de l'Ancien Régime. En 1749 on propose un nouvel impôt : le Vingtième du revenu à payer par *tous* (ce qui suppose une déclaration des revenus et une certaine égalité des citoyens devant la loi). Mais les privilégiés, surtout le clergé, protestent, alors que les philosophes et l'opinion publique approuvent. Des projets similaires seront plus d'une fois proposés avant la Révolution, en particulier par Turgot, mais en vain. Si le roi avait tenu bon, la base politique et sociale de la monarchie aurait pu être changée et, qui sait, la révolution évitée. Cette capitulation du roi devant les privilégiés contribue à lui faire perdre beaucoup de sa popularité.

De 1740 à 1770, influence des Economistes dits *Physiocrates* (p. ex. F. Quesnay) pour lesquels toute richesse vient de la terre. Ils appliquent à l'économie la méthode logique de Descartes, alors que les *Encyclopédistes* se montrent plus empiristes. La doctrine des Physiocrates — en particulier la nécessité du cadastre et du payement des impôts par tous d'après la quantité de terre possédée — aura une grande influence en Europe et jusque sous la Révolution.

1756-1763 — *Guerre de Sept ans*
L'Angleterre s'empare du Canada (en 1760). La France perd nombre de ses installations aux Indes.

De 1760 à 1789 — La population passe de 17 millions à 25 millions.

1766 — La Lorraine est rattachée à la France.

1768 — La Corse est rattachée à la France.

1774 *Mort de Louis XV.* Son petit-fils, *Louis XVI,* lui succède.

1778 — La France s'allie aux Américains contre l'Angleterre (La Fayette).

1786 — Traité de commerce libéral entre la France et l'Angleterre. De plus en plus on pense « européen ».

1786-88 — Malgré les efforts déployés auparavant par de bons ministres comme *Turgot* (1774-1776) et *Necker* (1776-1781), crise financière. La monarchie prouve qu'elle est incapable de se réformer elle-même.

1788 — Convocation des Etats Généraux. Louis XVI s'oppose aux députés « défenseurs des *droits de la nation* ».

1789 — *Révolution.*

L'Encyclopédie (1750-1766) — première tentative d'exposé synthétique de tout le savoir humain — est menée surtout par *Diderot,* avec la collaboration de *d'Alembert, Voltaire* et d'autres. Parallèlement la tendance sentimentale, qui s'était déjà manifestée avec *Fénelon,* l'abbé *Prévost, La Chaussée* et surtout *Vauvenargues* (1715-1747) s'accentue et se généralise.

Denis Diderot (1713-1784) est habité par les deux grandes tendances du siècle. Il mène à bon terme l'Encyclopédie mais professe en même temps le culte de l'instinct et du sentiment. Il crée un nouveau genre : le drame bourgeois, intermédiaire entre la comédie et la tragédie, écrit des romans pleins de lyrisme et de paradoxes, et inaugure la critique d'art.

Jean-Jacques Rousseau (1712-1778), né à Genève, timide, sans racines, persécuté ou croyant l'être. Rousseau veut « peuple ». Il trouve sa paix dans la nature, fait confiance à l'homme « naturel » que corrompt seule la civilisation (sciences, arts, luxe, théâtre). Pour Rousseau la société résulte d'un pacte librement accepté par les individus qui abandonnent tous leurs droits à la communauté. Le « prince » est élu pour interpréter et appliquer la « volonté générale ». Il peut être révoqué s'il lui est infidèle. Cette théorie qui soumet la liberté à la souveraineté de la nation qui exige l'égalité politique et même économique — avec pourtant le droit à la révolte — a inspiré les grands révolutionnaires. Rousseau met aussi en doute le droit de propriété et proteste contre l'inégalité. Il élabore ensuite un système d'éducation qui respecte l'évolution naturelle de l'enfant. Sa religion est le fruit d'une *révélation du cœur.* Elle se résume dans l'adoration de l'Etre Suprême; les formes de cette adoration (catholicisme, protestantisme, etc.) sont secondaires : il suffit d'être tolérant.

Ces idées sont exposées dans le « Discours sur les Sciences et les Arts », le « Discours sur l'Égalité », « Le Contrat Social », l'« Emile » et dans le roman « La Nouvelle Héloïse ». Au terme de sa vie Rousseau écrit ses « Confessions », relativement sincères, et atteint au sommet du lyrisme dans ses « Rêveries du promeneur solitaire ». Son influence sera, à la longue, beaucoup plus profonde que celle de Voltaire.

Après Rousseau, les principaux *romanciers* sont *Bernardin de Saint-Pierre,* son disciple assez fade, *Restif de la Bretonne,* également sentimental, et *Choderlos de Laclos,* le peintre réaliste et soi-disant moraliste de la société débauchée.

Un grand savant : Buffon (1707-1783), naturaliste et écrivain.

Un grand auteur de comédies : Beaumarchais (1732-1799), aventurier de génie qui se dépeint dans le personnage de Figaro. Il critique hardiment les inégalités sociales.
Dans le genre de la « comédie larmoyante », créé par Nivelle de la Chaussée : *Diderot, Sedaine* (1719-1797), naturel et sincère. A citer aussi *Favart* et *Gresset.*

Un grand poète à la fin du siècle : *André Chénier* (1762-1794), qui célèbre la beauté grecque avec une mélancolie déjà moderne et des vers d'une douce musicalité. Satiriste aussi, d'une grande élévation de pensée. Avant lui, un talent — *Le Franc de Pompignan* (1709-1784) — et quelques contemporains dont on peut aimer l'élégance recherchée (*Delille* 1738-1813), la sensibilité un peu naïve (fabuliste *Florian* 1755-1794), le style à la Tibulle (*Parny* 1753-1814), etc.

Architecture, sculpture, peinture, etc.	Musique

Déjà sous le règne de Louis XV, la fantaisie, poussée à l'excès, amène une réaction, un retour à l'*antique* influencé du reste par les fouilles d'Herculanum et de Pompéi (1768), puis par la découverte de certaines œuvres *grecques*.

L'ARCHITECTURE

L'architecte *Ange-Jacques Gabriel* (1698-1782), fils de Jacques Gabriel, construit en 1754 la place de la Concorde (anciennement place Louis XV), mais surtout en 1762 il élève le Petit Trianon qui par sa pureté et sa simplicité est peut-être le plus haut sommet de l'architecture du XVIIIe siècle.
Autres grands architectes : *Victor Louis* (Galeries du Palais-Royal à Paris), *Fr. Bélanger* (château de Bagatelle qui prélude au style Empire) et *G. Soufflot* (église Ste-Geneviève, actuel Panthéon).

LA SCULPTURE

Outre les sculpteurs déjà cités dont plusieurs poursuivent leur œuvre, il faut signaler *Jean-Baptiste Pigalle* (1714-1785) — qui réalise un bel équilibre entre le classicisme et le naturalisme — et *E. M. Falconet* (1716-1791) qui prétend faire exprimer à la sculpture « la nature vivante, animée et passionnée ». Toutefois la personnalité la plus marquante est celle de *Jean-Antoine Houdon* (1741-1828), qui sait unir à la souplesse des lignes une grande puissance d'expression. En lui aussi on note cette influence de l'antique (beauté des attitudes, souplesse du modelé, simplification des plans), mais il n'étouffe pas le réalisme qui est le fond de son génie. Il éclipse ses contemporains, parfois pasticheurs, Bridan, Clodion, etc. Plus originaux toutefois sont *Caffieri* et *Pajou*.

LA PEINTURE

D'une tout autre vigueur que Boucher est le peintre *Jean-Honoré Fragonard* (1732-1806), son élève : virtuose, éblouissant de fantaisie et de réalité, sensuel certes parfois, mais d'une santé qui n'a rien de mièvre. La seconde moitié du siècle compte un grand nombre de « petits maîtres », peintres ou dessinateurs, la plupart spécialistes de sujets galants. Le grand *Jean-Baptiste Chardin* (1699-1779) est hors de pair. Vers 1770 il s'essaie au pastel et y réussit magistralement. Les autres peintres de la réalité quotidienne sont plus des moralisateurs que des peintres. *Jean-Baptiste Greuze* (1725-1805) mélange sentimentalité et sensualité et vaut surtout par ses portraits. *Lépicié* peint également des portraits d'enfants qui sont d'un charme exquis. Le paysage reçoit une orientation nouvelle préromantique, avec *Joseph Vernet* (1714-1789), maître de la lumière, *Hubert Robert* (1733-1805), le peintre des ruines, et *Louis Moreau* (1740-1806) dont la sincérité annonce déjà Corot. Le retour à l'antique s'accentue toujours plus à mesure qu'on approche de la fin du siècle : *Mme Vigée-Lebrun* (1755-1842) adopte le sentimentalisme de Greuze avant de passer à l'antique, et la peinture d'histoire commence sa carrière avec David (voir tableau du XIXe siècle).

LA TAPISSERIE

La tapisserie française a deux représentants sans rivaux : les Gobelins et Beauvais. Elle cherche de plus en plus à donner l'illusion de la peinture.

Jean-Philippe Rameau qui jusqu'en 1750 avait été loué par les Encyclopédistes (Diderot, Grimm, etc.) et par Rousseau, devient l'objet de leurs attaques. Ils comprennent différemment la « Nature », qu'ils prétendent tous défendre. Pour les Encyclopédistes et Rousseau, « nature » devient synonyme de sentimentalité et tend à exclure, en musique du moins, l'aspect intellectuel. Pour Rameau, la « nature » est *aussi* l'ensemble des lois qui la soutiennent. Nous retrouvons donc ici le schisme signalé entre l'intelligence et l'instinct. Signalons aussi l'aspect politique de la lutte : attaquer la musique française et singulièrement l'opéra français, c'était s'en prendre aux spectacles et aux thèmes aristocratiques.

1752 — Querelle des Bouffons (voir le chapitre). C'est dans l'art italien que les adversaires de Rameau voient le vrai naturel.

J.-J. Rousseau compose en 1753 le « Devin de Village », œuvrette un peu gauche, chantante et facile.

Gluck (1714-1787) répond à quelques-unes de ces exigences de naturel par ses opéras cosmopolites : il se veut plus sensible et moins intellectuel que Lulli et Rameau. Il supprime vocalises et ornements, soumet la musique à la poésie, ménage des contrastes, donne à l'ouverture une valeur dramatique, etc.
A la fin du siècle *Grétry*, né à Liège (1741-1813), ami de Voltaire, résume bien la grâce élégante et fragile du moment. Il soumet tout à la mélodie et manque un peu de relief et de couleur. Ses écrits témoignent d'une intelligence peu commune. Il est le meilleur des compositeurs d'opéras-comiques, genre qui triomphe en France avec *Monsigny* et *Philidor* à la venue de la Révolution, puis avec *Cherubini* et *Méhul*.

François-Joseph Gossec (1733-1829) s'inspire avec originalité et une certaine puissance des innovations de l'esprit de Joseph Haydn..
De façon générale, on peut dire qu'après Rameau commence la période de décadence de la musique française, dont celle-ci ne sortira vraiment que dans la seconde moitié du XIXe siècle.

Détail de la Marseillaise (Arc de Triomphe de Paris), par François Rude. L'explosion d'enthousiasme de la Révolution française s'éteint dans la grisaille de la vie bourgeoise. Cet enthousiasme est pourtant maintenu dans l'âme des artistes qui, de plus en plus, s'opposeront à la société de leur temps dont ils n'admettent plus les valeurs. Une intime collaboration entre tous les artistes — hommes de lettres, peintres, sculpteurs, etc. — s'établit.

112

IX

L'HEURE DE L'HISTOIRE

RÉVOLUTION ET PREMIÈRE MOITIÉ DU XIXᵉ SIÈCLE

Les jugements les plus divers ont été et sont portés sur la Révolution française. Elle est maudite par les uns comme criminelle, d'autres lui reprochent de n'avoir servi que la classe bourgeoise, d'autres enfin y voient le début d'une ère nouvelle. Quoi qu'il en soit, il est aisé de constater — pour le mal comme pour le bien — son extraordinaire continuité avec le passé qu'elle prétend bousculer. Les révolutionnaires ont généralement voulu enfanter une *Société rationnelle* où l'Esprit et le Droit se confondent avec la Raison. « Ils mettent Descartes au Panthéon et la Raison à Notre-Dame. » La raison abstraite, qui avait eu tendance, au cours du XVIIIᵉ siècle, à se séparer du cœur, devient parfois monstrueuse de pure logique. Certains extrémistes de la Révolution, comme Saint-Just et Robespierre, s'imaginent pourtant appliquer les idées de Rousseau : même s'ils versent d'abondantes larmes, ils préfèrent voir périr le monde plutôt que leur idée de la vertu ! Ce qui reste de la Révolution, ce n'est pas l'œuvre de ces « extravagants », comme les appelait Danton, mais une idée assez nouvelle de la patrie. Celle-ci apparaît désormais comme une Eglise nouvelle, une cité de l'Esprit, ouverte à tout l'humain et non patrie fermée comme il s'en créera au XIXᵉ siècle. Sous l'étendard de la Raison, toutes les classes sociales, toutes les populations et les étrangers mêmes peuvent s'unir et se mêler. A travers les siècles, sur tous les continents, jusque dans le soulèvement hongrois de 1956, la Marseillaise sera le chant des opprimés. Les guerres de la Révolution et, dans une certaine mesure, celles de l'Empire n'auront pas, dans l'esprit des Français, pour mobile unique ou principal, la conquête. A supposer même que Napoléon ait obéi à son ambition, ses armées voudront ou s'imagineront apporter à chaque peuple la lumière qui l'éclairera sur sa propre destinée.

LA RÉVOLUTION DE 1789

— *Rupture et continuité avec le passé*

— *Création d'une Société universelle*

Bonaparte à Arcole, par Antoine-Jean Gros (1771-1835).

113

L'esprit catholique (= non nationaliste) des Croisades, sur le plan laïque cette fois, continue d'animer la nation — non un Volkgeist ou un instinct de race irrationnel et sombre. Les contemporains étrangers ne s'y sont pas trompés. Pour le philosophe Kant, la Révolution est « jaillie de la source pure de la Justice ». Le grand philosophe allemand Hegel écrit :

— Jugements à l'étranger

Ce fut un merveilleux lever de soleil, et tous les êtres pensants ont célébré cette époque avec le peuple français. Une émotion sublime a régné alors, un enthousiasme de l'esprit a fait frissonner l'univers comme si s'était réalisée la réconciliation entre le monde divin et le monde terrestre.

Et l'enthousiasme du même Hegel n'est pas moindre pour Napoléon en qui il voit — bizarrement! — « l'âme de l'Univers à cheval... »

— Heure trouble

Que dans ce merveilleux élan il y ait eu des laideurs, des excès, comment s'en étonner? A partir de 1792, la France s'est trouvée en guerre avec la moitié de l'Europe et — complication douloureuse — la classe jusqu'alors dominante de la Nation combattait dans les rangs de l'ennemi. Ce fait, joint au danger menaçant de l'invasion, suffit à expliquer bien des colères.

Tout ce que réalise la Révolution va dans le sens de l'efficacité : réformes sociales, mise au point du système métrique

décimal, puis code civil, etc. qui feront plus pour l'unification du monde que telles conquêtes éphémères. En littérature, un vrai poète enfin, André Chénier (1762-1794). Sa mélancolie élégiaque qui prélude au romantisme s'inspire des Grecs mais ses *ïambes* satiriques et indignés ne tirent leur inspiration que de l'âme du poète. En musique et en peinture, rien de sensationnel sauf quelques œuvres du peintre David qui livrent à la postérité un reflet de la mentalité « romaine », vertueuse et stoïque de l'époque.

Ce que la Révolution avait fait, l'Heure qui la suit — le romantisme — allait avoir le loisir de le penser. Après l'histoire faite, l'histoire écrite !

René de Chateaubriand par Girodet.

On propose bien des caractéristiques du romantisme français : sentiment de la nature, exaltation de la sensibilité et du moi, préoccupations sociales, découverte du moyen âge, etc. — et toutes ces définitions sont certainement méritées. Pourtant la note la plus nouvelle semble bien être le sens de l'histoire comprise comme un *devenir*. En d'autres termes, l'histoire n'est plus comme autrefois une collection d'anecdotes (Hérodote chez les Grecs, Joinville et Froissart en France), un moyen de comprendre le présent (Thucydide), de se justifier (Montluc, d'Aubigné), de prouver une théorie politique ou

LE ROMANTISME OU LE SENS DU DEVENIR

Diverses conceptions de l'Histoire

Victor Hugo, Gravure par Achille Devéria 1829. Hugo jeune, à l'époque d'Hernani.

religieuse (Commynes, Bossuet). On ne se contente même plus, comme les grands érudits français du xviie et du xviiie siècle, d'assembler des documents exacts (Du Cange, Mabillon), ni même — comme Montesquieu ou Voltaire — d'expliquer par des lois générales le développement d'une civilisation. Au début du xixe siècle, l'histoire essaie de reconstituer la vie intime des peuples à chaque étape de leur passé. Bien entendu, la méthode est encore incertaine : ou bien le romantisme s'attache trop à la « couleur locale » extérieure, ou bien il fait appel à des doctrines philosophiques pour expliquer un devenir qu'il croit toujours être un progrès, comme si chaque étape n'était que la préparation de la suivante. Malgré ces défauts, la conception classique de « l'homme universel » (= identique dans l'espace et dans le temps) subit d'utiles retouches.

C'est alors que tous les genres littéraires et artistiques se pénètrent d'histoire. Chateaubriand (1768-1848), le père du romantisme, remet le moyen âge et l'art gothique en honneur.

L'HISTOIRE DANS LES ŒUVRES D'ART

En même temps, Mme de Staël révèle à la France une Allemagne idyllique et philosophique : elle est à l'origine de cet enthousiasme naïf que les Français du xixe siècle éprouveront pour un pays dont la mentalité leur était décrite de façon tragiquement incomplète. Toujours au début du siècle, les poèmes d'Ossian mettent à la mode le passé celte. Des traductions et des représentations théâtrales font connaître les littératures italienne, espagnole, anglaise dont les thèmes passent dans la production française. Victor Hugo (1802-1885), par exemple, publie le roman *Han d'Islande* (1823) et les *Orientales* (1829), Lamartine un *Pèlerinage de Harold* (1825), Alfred de Musset des *Contes d'Espagne et d'Italie* (1830), Prosper Mérimée la *Chronique du règne de Charles IX* (1829), l'austère Vigny porte à la scène *Le More de Venise* (1829), la *Maréchale d'Ancre* (1831), etc. Même Stendhal, plus réaliste, se plonge avec ivresse dans le monde de la virtù italienne: *Le Rouge et le Noir* (1831) et *La Chartreuse de Parme* (1839). Appliqué à décrire ses contemporains, Balzac (1799-1850) reconstitue dans sa *Comédie humaine* tous les milieux de son époque, sans pourtant se préoccuper, comme on le fera dans la seconde moitié du siècle, de disparaître derrière ses descriptions.

H. de Balzac, d'après Boulanger

Les funérailles d'Atala, par Girodet. Contradiction entre la sensibilité romantique et la forme pseudo-classique.

Enfin, parmi les historiens proprement dits — Thierry, Guizot, Thiers, Tocqueville, etc. — le plus typique est sans doute Jules Michelet (1798-1874). Son *Histoire de France* reste aujourd'hui encore, malgré ses lacunes, une grande œuvre. L'auteur laisse certes dans l'ombre les facteurs économiques et sociaux, mais il a eu le mérite de souligner l'importance de la géographie, de recourir aux sources, et surtout de comprendre que

la France a fait la France et (que) l'élément fatal de race... y semble secondaire. Elle est fille de sa liberté.

Comme texte-miroir de l'époque romantique, nous choisirons un « miroir-déformant », en ce sens que l'auteur, Alfred de Musset (1810-1857), romantique à ses heures, a su voir — et ici caricaturer — quelques-uns des caractères du romantisme. Il imagine deux braves provinciaux, Dupuis et Cotonet, désireux de se faire des idées précises sur la nouvelle mentalité et allant, pour cela, consulter un clerc de notaire qui, lui, se prétend romantique. Le lecteur distinguera la part du sérieux et celle de l'ironie.

Alfred de Musset, par Ch. Landelle.

117

L. David : Les Sabines. Malgré la perfection du dessin, le mouvement est comme arrêté et l'expression froide

QU'EST-CE QUE LE ROMANTISME ?

MOI (= Dupuis). Monsieur, je vous prie de m'expliquer ce que c'est que le romantisme. Est-ce le mépris des unités [1] établies par Aristote et respectées par les auteurs français ?

LE CLERC. Assurément. Nous nous soucions bien d'Aristote! faut-il qu'un pédant de collège, mort il y a deux ou trois mille ans...

COTONET. Comment le romantisme serait-il le mépris des unités, puisque le romantisme s'applique à mille autres choses qu'aux pièces de théâtre ?

LE CLERC. C'est vrai; le mépris des unités n'est rien; pure bagatelle, nous ne nous y arrêtons pas.

MOI. En ce cas, serait-ce l'alliance du comique et du tragique ? [2]

LE CLERC. Vous l'avez dit; c'est cela même; vous l'avez nommé par son nom.

COTONET. Monsieur, il y a longtemps qu'Aristote est mort, mais il y a tout aussi longtemps qu'il existe des ouvrages où le comique est allié au tragique. D'ailleurs Ossian, votre Homère nouveau, est sérieux d'un bout à l'autre; il n'y a, ma foi, pas de quoi rire. Pourquoi l'appelez-vous donc romantique? Homère est beaucoup plus romantique que lui.

LE CLERC. C'est juste; je vous prie de m'excuser; le romantisme est bien autre chose.

MOI. Serait-ce l'imitation ou l'inspiration de certaines littératures étrangères, ou, pour m'expliquer en un seul mot, serait-ce tout, hors les Grecs et les Romains ?

LE CLERC. N'en doutez pas. Les Grecs et les Romains sont à jamais bannis de France : un vers spirituel et mordant... [3]

COTONET. Alors le romantisme n'est qu'un plagiat, un simulacre, une copie; c'est honteux, Monsieur, c'est avilissant. La France n'est ni anglaise, ni allemande, pas plus qu'elle n'est grecque ni romaine et, plagiat pour plagiat, j'aime mieux un beau plâtre pris sur la Diane chasseresse qu'un monstre de bois vermoulu décroché d'un grenier gothique.

LE CLERC. Le romantisme n'est pas un plagiat, et nous ne voulons imiter personne; non, l'Angleterre ni l'Allemagne n'ont rien à voir dans notre pays...

COTONET (vivement). Qu'est-ce donc alors que le romantisme? Est-ce l'emploi des

118

Eugène Delacroix, même dans ses sujets d'histoire — par exemple dans cette « Liberté guidant le peuple : 28 juillet 1830 » — traduit son enthousiasme par le *mouvement* et la *couleur*.

mots crus ? Est-ce la haine des périphrases ? (...) Est-ce l'abus des noms historiques ? Est-ce la forme des costumes ? Est-ce le choix de certaines époques à la mode, comme la Fronde ou le règne de Charles IX ? Est-ce la manie du suicide et l'héroïsme à la Byron ? Sont-ce les néologismes, le néo-christianisme et, pour appeler d'un nom nouveau une peste nouvelle, tous les néo-sophismes de la terre ? Est-ce de jurer par écrit ? Est-ce de choquer le bon sens et la grammaire ? Est-ce quelque chose, enfin, ou n'est-ce rien qu'un mot sonore et l'orgueil à vide qui se bat les flancs ?

LE CLERC (*avec exaltation*). Non! ce n'est rien de tout cela; non! vous ne comprenez pas la chose. Que vous êtes grossier, Monsieur! quelle épaisseur dans vos paroles! Allez, les sylphes ne vous hantent point; vous êtes poncif [= banal], vous êtes trumeau, vous êtes volute [= spirale], vous n'avez rien d'ogive [4], ce que vous dites est sans galbe; vous ne vous doutez pas de l'instinct sociétaire; vous avez marché sur Campistron [5].

COTONET. Vertu de ma vie! qu'est-ce que c'est que cela?

LE CLERC. Le romantisme, mon cher Monsieur ? Non, à coup sûr, ce n'est ni le mépris des unités, ni l'alliance du comique et du tragique, ni rien au monde que vous puissiez dire; vous saisiriez vainement l'aile du papillon, la poussière qui le colore vous resterait dans les doigts. Le romantisme, c'est l'étoile qui pleure, c'est le vent qui vagit, c'est la nuit qui frissonne, la fleur qui vole et l'oiseau qui embaume [6]; c'est le jet inespéré, l'extase alanguie, la citerne sous les palmiers et l'espoir vermeil et ses mille amours, l'ange et la perle, la robe blanche des saules; ô la belle chose, Monsieur!... C'est l'infini et l'étoilé, le chaud, le rompu, le désenivré, et pourtant en même temps, le plein et le rond, le dia-métral, le pyramidal, l'oriental, le nu à vif, l'étreint, l'embrassé, le tourbillonnant; quelle science nouvelle! C'est la philoso-phie providentielle [7] géométrisant les faits accomplis, puis s'élançant dans le vague des expériences pour y ciseler les fibres secrètes...

COTONET. Monsieur, ceci est une faribole. Je sue à grosses gouttes pour vous écouter.

LE CLERC. J'en suis fâché; j'ai dit mon opinion, et rien au monde ne m'en fera changer.

119

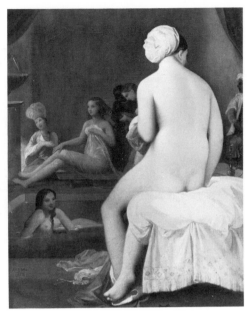

Dupuis et Cotonet continuent leur enquête. En comparant un texte classique et un texte romantique, ils concluront que le romantisme consiste essentiellement dans l'abus des adjectifs! Notons pourtant avec quelle habileté et quelle rigueur toute « classique » Musset a su énumérer les caractéristiques de son époque, et principalement son souci de la *couleur locale* et ses vastes (et souvent vagues) *synthèses* sur le devenir de l'humanité.

Les arts de la première moitié du siècle se ressentent de l'émotivité générale. Après le peintre Louis David (1748-1825) dont l'œuvre marque la transition entre les grâces de Boucher et le souci de grandeur et d'histoire, deux tendances se partagent

Hector Berlioz. Portrai par Gustave Courbet.

Notes

[1] La règle des trois unités imposaient à la tragédie classique : une seule action en une seule journée et en un seul lieu. [2] Victor Hugo prétendait qu'il fallait « mêler les genres ». [3] « Qui nous délivrera des Grecs et des Romains »... [4] Le clerc emploie les termes à la mode — ceux de l'architecture gothique — mais dont il ne comprend évidemment pas le sens. Au fond, Musset reproche à certains romantiques de croire que la clarté s'oppose à la profondeur : ils sont d'autant plus sûrs d'eux-mêmes et se croient d'autant plus profonds que leurs idées sont plus vagues. [5] Imitateur de Racine. [6] Distraction — forme négligée : il faut évidemment lire « la fleur qui embaume et l'oiseau qui vole ». [7] C'est-à-dire la philosophie d'origine italienne (Vico) et allemande (Hegel, etc.) qui prétend expliquer la Providence et mettre tout le passé en théorèmes logiquement déduits (« géométrisant » les faits accomplis). Le « vague des expériences » fait peut-être allusion à Werther et à ceux qui veulent tout expérimenter, comme l'humanité au cours de son devenir.

Page 120. A gauche

Géricault : Le Radeau de la Méduse (détail). On goûte ici l'emportement fougueux d'un génie qui sait éviter la grandiloquence.

A droite

Ingres : La petite baigneuse. Plus soucieux de pureté classique que Géricault ou Delacroix, Ingres invente des formes admirablement dessinées mais où vibre pourtant une authentique sensibilité humaine.

Ci-contre

J.-B. Corot : Souvenir de Mortefontaine (1864).

la peinture française. Leurs chefs de file sont Ingres et Delacroix. Ingres (1780-1867) commence comme David par des peintures d'histoire, mais son génie s'applique bientôt à tous les sujets. Aimant la sobriété et la pureté, il se révèle un maître dans *le dessin* et la science du contour. Delacroix (1798-1863), comme Géricault (1791-1824), est d'une nature plus impétueuse et cherche à exprimer, par *la couleur* et *le mouvement*, toute la gamme des émotions humaines. Le paysage français est redécouvert par Corot, Théodore Rousseau et plusieurs autres (voir page 131). Daumier (1808-1879), dessinateur, peintre, lithographe et sculpteur, occupe une place à part. Il se signale surtout par des caricatures géniales dont l'impitoyable réalisme introduit dès l'époque romantique un esprit qui ne se généralisera que dans le demi-siècle suivant. Les sculpteurs François Rude (1784-1855) et Antoine-Louis Barye (1796-1875) impriment à leurs œuvres un puissant dynamisme, mais l'architecture n'arrive pas à créer un style vraiment original : elle pastiche le gothique et l'antiquité. Pour la musique, sauf Berlioz (1803-1869) et sauf Chopin (1810-1849) dont la France partage la gloire avec la Pologne, aucun génie : c'est l'Allemagne et le monde germanique qui à ce moment-là enchantent le monde.

Frédéric Chopin par Delacroix.

121

Faits politiques, économiques et sociaux	Littérature

La Révolution de 1789 supprime les privilèges, le droit d'aînesse, les corporations, les frontières intérieures, l'esclavage dans les colonies. Par la vente des biens de la noblesse et du clergé elle multiplie le nombre des petits propriétaires; elle uniformise l'administration et proclame l'égalité de tous devant la loi et l'impôt.

1789 — *Révolution*

1792-1804 — *Première République* — Convention, Directoire, Consulat.

1792 — La France est envahie par les Prussiens et les Autrichiens, aidés par les nobles (émigrés).
La Savoie et Nice votent leur rattachement à la France.

1793 — En janvier, Louis XVI est mis à mort.
La Terreur (Robespierre).
Unité des poids et des mesures.

1799 — Bonaparte, premier consul.

1801 — Concordat avec le Saint-Siège.
Code civil et Banque de France.
La fortune devient le critère social (suffrage censitaire).

1804-1814 — *Premier Empire* — Bonaparte proclamé empereur sous le nom de Napoléon Ier. Série de guerres, exil à l'île d'Elbe.
Sous l'Empire s'affrontent les « idéologues » (= continuateurs de l'Encyclopédie, comme Destutt de Tracy, Cabanis, Volney, etc.) et « spiritualistes » (Royer-Collard, Maine de Biran, etc.). Despote éclairé, Napoléon se sert pourtant de l'Église comme d'un élément de l'ordre social.

1814-1830 — *Restauration* — Louis XVIII, frère de Louis XVI, roi de France. Régime de compromis entre l'Ancien régime (celui des privilèges) et le nouveau (celui de la fortune). Traditionalistes et libéraux (dont plusieurs avaient déjà écrit sous l'Empire) s'opposent violemment. D'un côté Bonald (1754-1840) et surtout Joseph de Maistre (1753-1821), catholique monarchiste et illuministe; de l'autre, surtout le pamphlétaire anticlérical Paul-Louis Courier (1772-1825).

1815 — Retour de Napoléon. Défaite de Waterloo. Exil à Sainte-Hélène, d'où son corps sera ramené à Paris en 1840.

1824-1830 — Règne de Charles X, frère de Louis XVI et de Louis XVIII. Ancien chef de l'émigration, ultra-royaliste.

1830 — Conquête d'Alger et Révolution de Juillet.

1830-1848 — *Monarchie de Juillet* — Louis-Philippe, roi des Français.
Triomphe de la petite et moyenne bourgeoisie. Règne du libéralisme économique. Un prolétariat commence à se former. Théoriciens de la société — socialistes : Saint-Simon, Fourier, P. Leroux, Proudhon, etc. — et philosophes, surtout Auguste Comte qui prendra toute son influence après 1848. Quelques catholiques sociaux.

1848 — *Révolution de février* — *Seconde République*

Pendant la Révolution — production littéraire intense mais médiocre. Quelques grands orateurs : Mirabeau, Vergniaud, Danton, etc. et le poète André Chénier qui meurt sur l'échafaud.
Sous l'Empire — idéologues et traditionalistes (voir Faits politiques) mais les meilleurs écrivains s'opposent au régime : Benjamin Constant, Mme de Staël, Chateaubriand.

1802 — *François-René de Chateaubriand* (1768-1848) publie « Le Génie du Christianisme » qui remet à la mode la religion et le moyen âge; il publie aussi « René » qui déterminera dans une large mesure la sensibilité romantique et ce « mal du siècle » qui apparaît encore dans le roman de confidences « Obermann » (1804) de *Sénancour*.

1810 — *Mme de Staël* (1766-1817) publie « De l'Allemagne », qui fait croire à une Allemagne exclusivement sentimentale, idyllique et mystique.
Sous la Restauration et la monarchie de Juillet — le romantisme littéraire et social prend forme, souvent en réaction contre le milieu bourgeois.

1820 — « Méditations poétiques » *Alphonse de Lamartine* (1790-1869).

1822 — « Trilby », conte écossais de *Charles Nodier* (1780-1844).

1829 — « Les Orientales » de *Victor Hugo* (1802-1885).

1830 — « Hernani », drame de *Victor Hugo* qui lance le drame « romantique ».
Autres poètes romantiques de valeur : *Alfred de Vigny* (1797-1863), penseur plus vigoureux que beaucoup de ses contemporains mais pessimiste; *Alfred de Musset* (1810-1857), l'enfant terrible du mouvement, qui en dénonce les excès et continue, surtout dans ses œuvres en prose, la tradition de la finesse et du goût; *Gérard de Nerval* (1808-1855), visionnaire, vivant et mourant à la poursuite d'un rêve irréalisable. Ils écrivent aussi des pièces de théâtre et des romans. *Théophile Gautier* (1811-1872) finit par condamner le lyrisme indiscret et, défendant l'Art pour l'Art, annonce le Parnasse de la seconde moitié du siècle.
Le romantisme revendique, au nom de la vérité, l'exaltation de l'individu et cherche à saisir l'originalité de chaque pays ou de chaque époque du passé. Mais plus encore que savoir, il veut sentir cette originalité, qu'il confond souvent avec le pittoresque ou le fantastique. Il tâche aussi de comprendre (et de sentir!) le devenir du monde et de la société qu'il s'agit de conduire au bonheur.
Le roman se développe plus que jamais. Le génie du romantisme, *Honoré de Balzac* (1799-1850) offre dans son œuvre immense « La Comédie Humaine » un miroir de son temps. Il peint le monde avec un minutieux réalisme certes, mais vu à travers ses aspirations mystiques et sa philosophie sociale.

Architecture, sculpture, peinture, etc.	Musique

L'ARCHITECTURE

La Révolution et l'Empire sont trop agités et durent trop peu de temps pour permettre à l'architecture de prendre une direction bien définie. On imite toujours plus les styles antiques, en particulier l'égyptien : église de la Madeleine sur le modèle grec, hôtel de Beauharnais à colonnes égyptiennes, Arc de Triomphe entrepris en 1806, etc. Le *romantisme* pastiche le gothique (*Viollet-le-Duc*) et l'antique.

LA SCULPTURE

La sculpture romantique se met parfois au service de l'histoire, mais sans quitter pour cela la tradition classique. *François Rude* (1784-1855) est un bel exemple de la fougue nouvelle exprimée par la technique traditionnelle. Plus créateur est *Antoine-Louis Barye* (1796-1875), animalier, qui trouve des accents de vie saisissants. *David d'Angers* (1788-1856), si célèbre de son temps, nous paraît aujourd'hui banal.

LA PEINTURE

La peinture, à la fin du XVIIIe siècle, s'oriente vers un néoclassicisme sous la direction de *Louis David* (1748-1825) : art correct, savant et froid. Le préromantisme qui avait affleuré dans les œuvres de Fragonard, de Hubert Robert, etc. revient avec *Girodet, Prudhon* et *Gros*, mais il y a conflit entre leur sensibilité nouvelle et la forme académique qu'ils ont héritée de David. Le premier qui, par la hardiesse de son expression, manifeste vraiment l'esprit nouveau est *Théodore Géricault* (1791-1824), mais celui qui en est le génie, dominant alors de loin toute son époque, est *Eugène Delacroix* (1798-1863), personnalité extraordinaire, ivre de *couleur*, de vie et de mouvement mais restant maître de ses moyens.

En réaction contre le romantisme et continuant, mais avec plus de personnalité, l'esthétique de David, *Jean-A. Dominique Ingres* (1780-1867) déclare préférer la beauté antique. Dessinateur admirable plus que peintre, Ingres n'a cependant rien d'un copiste. Ses peintures de femmes et ses portraits sont des créations vraiment originales. Ses meilleurs élèves sont *Hippolyte Flandrin* et *Théodore Chassériau*, ce dernier influencé aussi par la palette de Delacroix.

Indépendamment de toute école, des peintres redécouvrent la nature de leur pays : ce sont les paysagistes dits de l'école de Barbizon ou de Fontainebleau : *Théodore Rousseau* et *Jean-Baptiste Corot* (voir second demi-siècle). Quelques caricaturistes d'un art souvent très réaliste : *Gavarni, H. Monnier, Granville, Achille Devéria* et surtout *Honoré Daumier* (1808-1879) qui fut aussi remarquable dessinateur que peintre.

Evidemment, nombreux peintres spécialisés dans l'histoire (*Horace Vernet, Paul Delaroche*) et orientalistes (*Decamps*, etc.).

Au XIXe siècle, la France occupe de nouveau une place de premier plan dans la peinture universelle, après avoir laissé le sceptre, à la fin du moyen âge, à l'Italie et aux Pays-Bas.

En contraste très net avec le renouveau de la peinture, la France est très pauvre du point de vue musical. La musique allemande (Beethoven, Schubert, etc.) règne, splendide mais sans liens avec la tradition française qu'elle semble réduire au silence et qui ne reviendra vraiment à ses sources qu'après 1850.

Frédéric Chopin (1810-1849), romantique par l'inspiration mais classique par la forme, mi-Polonais et mi-Français, est le poète du piano.

Hector Berlioz (1803-1869), incompris de ses contemporains, est lui un pur romantique. Son langage musical, hardi, étonne. Il a eu le génie de la couleur, l'amour des sonorités contrastantes, des timbres inédits. Il influencera profondément les musiciens russes.

A citer aussi *Franz Liszt* (1811-1886) d'origine hongroise mais entièrement formé par le romantisme français.

Ce que le public applaudit à cette époque, ce sont le plus souvent des niaiseries et des fadaises. Meyerbeer règne ainsi que quelques compositeurs spirituels mais sans profondeur. Auber, F. Halévy, Adam. On trouve pourtant plus de personnalité chez *Boieldieu* et *Hérold*.

Littérature (suite)

George Sand (1804-1876) publie nombre d'œuvres exaltées (la concision n'est pas le fort du romantisme!), où elle défend les passions, les théories humanitaires et, finalement, la vie rustique.

Stendhal (1783-1842) et *Prosper Mérimée* (1803-1870) reprochent à leurs contemporains leur « charlatanisme littéraire » et s'efforcent surtout d'être vrais, annonçant par là l'esthétique de la période suivante.

L'histoire se constitue avec *Thierry, Guizot, Tocqueville* et *Jules Michelet* (1798-1874) qui met au service de ses intuitions une documentation déjà sérieuse et un génie de poète.

Les socialistes (voir Faits politiques).

La critique : *Ch.-A. de Sainte-Beuve* (1804-1869) veut rejoindre l'homme à travers l'œuvre. D'abord romantique, il revient plus tard à l'amour de la simplicité et de la clarté, conditions de la profondeur.

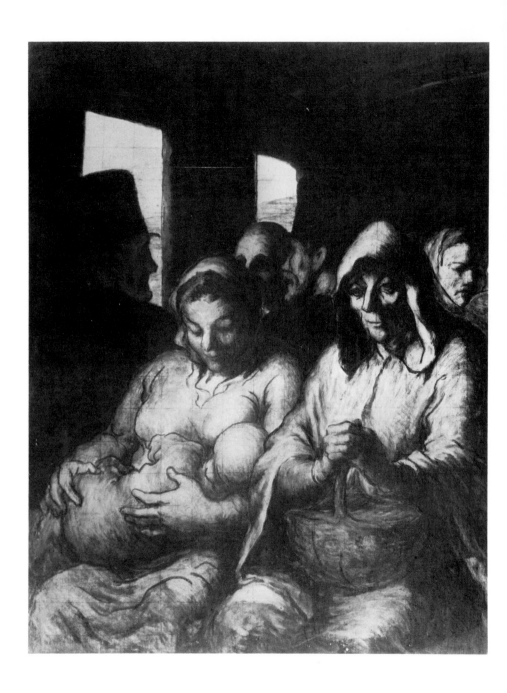

H. Daumier : Le wagon de 3e classe (vers 1856). Daumier, réaliste par ses anecdotes, suggère souvent une réalité spirituelle cachée, cruelle ou tragique. L'esprit scientifique et objectif qui se répand dans la société envahit également certains
secteurs de l'art. Plusieurs veulent que le tableau reproduise la vie réelle actuelle et reflète ses problèmes sociaux. La
grande tradition artistique se poursuivra pourtant dans une autre direction (voir Heure Exquise).

Page 125. J.-B. Carpeaux : La Sainte-Alliance des peuples (1848).

124

X

L'HEURE DE LA SCIENCE

DEUXIÈME MOITIÉ DU XIXᵉ SIÈCLE

Il serait difficile d'exagérer l'importance de l'année 1848 dans l'histoire de la société et de la civilisation françaises. Depuis 1830 s'était formé dans les villes un *prolétariat* que ne protégeait aucune loi et qui ne jouissait d'aucun droit au travail. La révolution de juin 1848, qui met fin à la royauté bourgeoise de Louis-Philippe, apporte au peuple le *suffrage universel* et quelques libertés nouvelles. Napoléon III, président de la République (1848), puis empereur (Second Empire, 1852), a beaucoup plus que la plupart des autres dirigeants le souci de la misère du peuple. Son long gouvernement vise à unir le capitalisme et la démocratie. La prospérité augmente mais l'empereur n'arrive pas à relever suffisamment la condition des ouvriers des villes. Ceux-ci, finalement, ne se rallient pas au régime. En 1870, la France entre en guerre contre l'Allemagne et, mal préparée, est battue, mais les ouvriers de Paris refusent d'accepter l'armistice : ils proclament la « Commune de Paris » et provoquent une guerre civile qui est suivie d'une répression brutale. L'Allemagne s'empare de l'Alsace-Lorraine, semant ainsi le germe d'une nouvelle guerre. Pendant la troisième République (1870-1940), cléricaux et anticléricaux, royalistes et républicains se disputent le pouvoir. Parmi les

1848

Second Empire

Guerre de 1870

Troisième République

personnalités du temps, il faut au moins signaler le grand ministre Jules Ferry (1832-1893). Il organise *l'enseignement scolaire* et *les cadres syndicaux* et, surtout, poursuit *l'œuvre coloniale* de Colbert, affermissant ou étendant la civilisation française en Afrique du Nord, dans les îles du Pacifique, en Extrême-Orient, au Congo et à Madagascar.

ÉVOLUTION DES IDÉES

En même temps que cette transformation sociale et politique, s'opère une évolution des esprits. De romantique, la mentalité française devient généralement réaliste, naturaliste, *scientifique*. Certes la civilisation française avait compté déjà de nombreux savants : constructeurs de cathédrales, érudits de la Renaissance, le médecin belge André Vésale, le chirurgien Ambroise Paré, etc. Au XVIIe siècle Descartes avait été un mathématicien et un physicien de premier ordre, de même que Pascal. Ce qui, à cette époque, est nouveau, c'est la valeur

CULTE DE LA SCIENCE

accordée à la science. Conformément aux théories d'Auguste Comte (1798-1857), on attend d'elle le salut de l'humanité et on la croit capable de résoudre, sans la philosophie, tous les problèmes humains (= positivisme). Les grands savants se multiplient : l'astronome Leverrier, le médecin Pasteur, le biologiste Claude Bernard, etc. Et l'historien Ernest Renan (1823-1892) imagine pour bientôt un univers gouverné par un aréopage de Savants!

LITTÉRATURE

— *Réalisme et naturalisme*

La littérature suit le mouvement et s'engage dans le *réalisme*. Sans doute le réalisme n'était pas non plus une innovation dans la littérature française. Rappelons-nous seulement Villon, Rabelais et, même en pleine époque romantique, des écrivains comme Stendhal, Mérimée et surtout Balzac. En quoi consiste alors le réalisme d'un Gustave Flaubert (1821-1880)? Flaubert se fait de son art une idée toute nouvelle : le romancier, par exemple, doit disparaître de son œuvre, avoir « l'impartialité qu'on met dans les sciences physiques » et pour cela se documenter, peindre de préférence les gestes — le *vérifiable*. Il se fait aussi de l'homme une idée déterministe : l'esprit, selon les théories de Taine (1828-1893), est déterminé exactement comme le corps. Le *naturalisme* de Jules et Edmond de Goncourt, Emile Zola, Guy de Maupassant, etc. va encore plus loin que le réalisme : Zola (1840-1902) imagine le roman comme un laboratoire expérimental où il vérifierait, à travers plusieurs générations, le *déterminisme des lois*. Le tout, évidem-

Gustave Flaubert, par Louis Boulanger.

Les casseurs de pierre (1849-1851), par G. Courbet. Par la force de sa personnalité Courbet échappe à l'écueil d'un art « photographique ». Comme Zola, il est souvent emporté par un souffle d'épopée.

ment, pour arriver à la connaissance scientifique de l'homme. En fait, et heureusement, la pratique de ces écrivains diffère de leur théorie : sous leur impassibilité apparente, vibre une sensibilité quasi romantique. Ceci est vrai, tant des romanciers que des poètes — les Parnassiens, Leconte de Lisle surtout — qui eux aussi voulaient une poésie impersonnelle, basée sur une connaissance scientifique de l'histoire. On remarque même que leurs idées ne dépendent pas de leur fameuse « documentation » mais que, très souvent, elles la précèdent et la déterminent. De plus, vers le dernier quart du siècle, sous l'influence du philosophe Schopenhauer, un certain pessimisme se fait jour : certains sont déçus par la science, d'autres lui maintiennent — mais avec désespoir — leur confiance. Quelques pages d'un roman de Zola, *L'Œuvre*, écrit en 1886, constituent un véritable miroir de l'époque. Zola (qui s'y représente sous les traits de l'écrivain Sandoz) raconte l'histoire d'un peintre épris comme lui de vérité, mais que le romantisme corrompt sournoisement (selon Zola!) sous la forme du symbole. (De ce symbolisme, nous parlerons au chapitre suivant.) Incapable de réaliser son idéal, le peintre (Claude) se donne la mort. L'extrait suivant met en scène Sandoz discutant avec Claude d'un tableau bizarre que celui-ci est

THÉORIE ET PRATIQUE

EMILE ZOLA

Émile Zola, par Edouard Manet.

127

Théodore Rousseau : Paysage, Mare et lisière de bois. Rousseau exprime avec force la mystérieuse grandeur de la nature.

en train de peindre — une barque avec une femme nue en plein milieu de Paris :

Deux mentalités

Edmond et Jules de Goncourt, par Paul Gavarni.

Les jours suivants, Sandoz (= Zola) revint avec douceur sur cette étrange composition, plaidant, par un besoin de sa nature, la cause de la logique outragée. Comment un peintre moderne, qui se piquait de ne peindre que des réalités, pouvait-il abâtardir une œuvre, en y introduisant des imaginations pareilles? Il était si aisé de prendre d'autres sujets, où s'imposait la nécessité du nu ! Mais Claude s'entêtait, donnait des explications mauvaises et violentes, car il ne voulait pas avouer la vraie raison, une idée à lui, si peu claire, qu'il n'aurait pu la dire avec netteté, le tourment d'un symbolisme secret, ce vieux regain de romantisme qui lui faisait incarner dans cette nudité la chair même de Paris, la ville nue et passionnée, resplendissante d'une beauté de femme.

Lorsque Claude, désespéré, s'est pendu, Sandoz et son ami, Bongrand, discutent tout en suivant le cortège funèbre; et Sandoz explique :

Foi dans le réel
même pour l'art

Son mal n'était pas en lui seulement, il a été la victime d'une époque... Oui, notre génération a trempé jusqu'au ventre dans le romantisme, et nous en sommes restés imprégnés quand même, et nous avons eu beau nous débarbouiller, prendre des bains de réalité violente la tache s'entête, toutes les lessives du monde n'en ôteront pas l'odeur... Même après la vôtre, notre génération est trop encrassée de lyrisme pour laisser des œuvres saines. Il faudra

une génération, deux générations peut-être avant qu'on peigne et qu'on écrive logiquement, dans la haute et pure simplicité du vrai... Seule la vérité, la nature, est la base possible, la police nécessaire, en dehors de laquelle la folie commence; et qu'on ne craigne pas d'aplatir l'œuvre, le tempérament est là, qui emportera toujours le créateur.

Ensuite Zola critique la nouvelle école impressionniste, en particulier Cézanne, qui fournit plusieurs traits à Claude :

*Critique de
l'Impressionnisme*

Non, il n'a pas été l'homme de la formule qu'il apportait. Je veux dire qu'il n'a pas eu le génie assez net pour la planter debout et l'imposer dans une œuvre définitive. Et voyez, autour de lui, après lui, comme les efforts s'éparpillent! Ils en restent tous aux ébauches, aux impressions hâtives, pas un ne semble avoir la force d'être le maître attendu. N'est-ce pas irritant, cette notation nouvelle de la lumière, cette passion du vrai poussée jusqu'à l'analyse scientifique, cette évolution commencée si originalement, et qui s'attarde, et qui tombe aux mains des habiles, et qui n'aboutit point parce que l'homme nécessaire n'est pas né?

Enfin, Zola formule un aveu qui éclaire étrangement la nature de sa foi en la science, aux environs de 1886 :

*Déception causée
par la science*

C'était fatal, songea-t-il [Sandoz] à mi-voix, cet excès d'activité et d'orgueil dans le savoir devait nous rejeter au doute; ce siècle qui

129

Ci-contre

L'Opéra de Paris, par Charles Garnier (1825-1898). Monument caractéristique de l'esprit et du luxe de la société bourgeoise.

Page 131

A gauche

Le Sacré-Cœur (1876) conçu par Paul Abadie, lourd et maladroit pastiche du style byzantin.

A droite

La Tour Eiffel à l'Exposition Universelle de Paris en 1889, exalte les possibilités d'un nouveau matériau : le fer.

a déjà fait tant de clarté, devait s'achever sous la menace d'un nouveau flot de ténèbres... Oui, notre malaise vient de là. On a trop promis, on a trop espéré, on a attendu la conquête et l'explication de tout; et l'impatience gronde. Comment ! on ne marche pas plus vite ? La science ne nous a pas encore donné, en cent ans, la certitude absolue, le bonheur parfait ? Alors, à quoi bon continuer puisqu'on ne saura jamais tout et que notre pain restera aussi amer? C'est une faillite du ciel, le pessimisme tord les entrailles, le mysticisme embrume les cervelles ; car nous avons eu beau chasser les fantômes sous les grands coups de lumière de l'analyse, le surnaturel a repris les hostilités, l'esprit des légendes se révolte et veut nous reconquérir, dans cette halte de fatigue et d'angoisse... Ah! certes! je n'affirme rien, je suis moi-même déchiré. Seulement, il me semble que cette convulsion dernière du vieil effarement religieux était à prévoir. Nous ne sommes pas une fin, mais une transition, un commencement d'autre chose... Cela me calme, cela me fait du bien, de croire que nous marchons à la raison et à la solidité de la science...

Sa voix s'était altérée d'une émotion profonde, et il ajouta : — A moins que la folie ne nous fasse culbuter dans le noir, et que nous ne partions tous, étranglés par l'idéal, comme le vieux camarade qui dort là entre ses quatre planches.

Ces pages analysent avec lucidité divers aspects de l'attitude naturaliste : une foi irrationnelle et obstinée en la science, le sentiment vague de son insuffisance et le pessimisme qui en découle tôt ou tard. Il ne faudra donc pas s'étonner qu'à ce mépris de l'instinct succède par réaction de nouvelles atti-

Napoléon III

130

 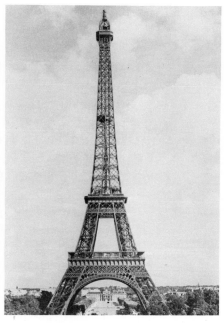

tudes anti-scientifiques : symbolisme dans ce dernier tiers du siècle où *L'Œuvre* a été écrite, culte de l'élan vital à l'aurore du XXe. On sent également dans ces lignes l'incompréhension totale de Zola pour les formes d'art qui font alors la gloire de la France : l'impressionnisme et le symbolisme. Il a manqué à Zola — et à maints de ses contemporains — de comprendre que si la science fournit *des faits*, elle est incapable de leur imposer *un sens*. Zola lui-même, après 1890, année où il a un enfant, verra autrement la « nature ». Jusque-là il avait montré une sorte d'adoration brutale de la vie, où se mêlaient un matérialisme assez étouffant et une foi optimiste dans le progrès. Dans *Fécondité*, par exemple (1899), il exalte la valeur morale de l'amour, la noblesse et la spiritualité du mariage. Quoi qu'en ait pensé Zola, cette nouvelle appréciation de la vie n'était pas le résultat d'une sorte d'enquête « naturaliste » — elle était une affirmation philosophique, un sens donné *par lui* à l'expérience.

La science et le sens de la vie

Plus que les lacunes, il importe pourtant de souligner l'immense générosité et la haute moralité de l'œuvre de Zola et de ses amis. Dans une société où le peuple était délaissé, ils ont attiré l'attention sur le prolétariat et lui ont fait confiance.

Grandeur de Zola

Charles Gounod, par J.-B. Laurens. (1795-1858).

Déjà un peu avant 1850 les peintres français avaient rejeté le paysage historique et découvert avec amour *la nature de leur pays* : ses vallées, ses forêts, ses ruisseaux. L'admirable école des paysagistes poursuit son œuvre créatrice. Théodore Rousseau (1812-1867), appelé parfois le Ruysdael français, éprouve et traduit avec passion la mystérieuse grandeur des paysages. Corot (1796-1875), de tempérament plus tendre et plus naïf, sensible à toutes les nuances de la lumière et de l'air, a laissé des œuvres d'une fantaisie et d'une fraîcheur qui lui sont propres. Plus marqués par les théories ou l'esprit de la seconde moitié du siècle sont Millet (1815-1875), le peintre des paysans, parfois un peu déclamatoire, et surtout Gustave Courbet (1819-1877). Celui-ci, malgré « l'actualité » de ses sujets, garde une valeur universelle par la solidité de sa composition, par son aptitude à traduire les forces élémentaires et primitives de l'homme et de la nature. Edouard Manet (1832-1883) peint le réel, en lui imprimant la marque d'un esprit plus cultivé, plus boulevardier aussi. Avant de passer à l'impressionnisme (dont nous parlerons au chapitre suivant), il commence par peindre en couleurs sombres, mais ses objets les plus familiers sont animés d'une sorte de mystère qui était sans doute le mystère même de l'âme de Manet.

J.-B. Corot, Souvenir d'Italie (détail). « Comme Chardin, comme Vermeer, il transcrit la nature, mais il est loin de se soumettre à elle; et notre temps, qui met ces peintres au premier rang, n'a pas de peine à voir poindre dans leur œuvre, non un art réaliste, mais l'art moderne... » (A. Malraux).

132

La sculpture demeure plus en dehors de l'esprit général du temps. Barye (1795-1875) et Carpeaux (1827-1875) continuent de produire, le premier des œuvres viriles, simples et fortes, le second des œuvres à la fois gracieuses et vivantes, animées d'une intense vie spirituelle. A part eux et Rodin (voir page 144), les sculpteurs du temps suivent une voie plus académique et conventionnelle.

— *La sculpture*

Dans le monde musical, la France reprend peu à peu sa place. Gounod (1818-1893) — qui parut hardi à ses contemporains! — « restaure le climat français qui allie le sens de la rigueur au goût du plaisir », sans se préoccuper comme Wagner de théories à défendre. Nommons encore Saint-Saëns (1835-1921) et surtout Georges Bizet (1838-1875) dont *Carmen*, présenté en 1875, marque en quelque sorte *le réveil de la musique française*. Sans doute, le Belge César Franck (1822-1890) avait-il élevé le niveau musical de la France en y acclimatant les formes symphoniques et instrumentales et en formant de brillants disciples — Vincent d'Indy, Chausson, Duparc, Paul Dukas, Guillaume Lekeu. Plus nettement française pourtant est l'atmosphère de Chabrier (1841-1894), toute d'humour et de fantaisie. Grâce à lui, les grands rénovateurs, Debussy et Fauré (voir chapitre suivant), pourront renouer plus aisément avec a tradition nationale.

— *La musique*

Buste de Georges Bizet

Réunion de famille (1867) par Frédéric Bazille. Malgré sa prospérité matérielle, le Second Empire n'a pu réaliser « sa » civilisation. Le règne de l'argent n'a pas inspiré les artistes. Même la famille a tendance à se constituer en fonction de la propriété à sauvegarder et à perpétuer. Les artistes se réfugient résolument dans un monde qui leur est propre: monde exquis de l'évasion (impressionnisme), monde de Vérité picturale (Gauguin, Cézanne et Van Gogh.)

133

Camille Pissarro : Effet de nuit. Boulevard Montmartre (1897). Déjà pressentie par Chardin, Daumier et Delacroix, la nouvelle tendance — faire de l'œuvre d'art un univers plus vrai que le monde visible — se précise avec Manet puis avec les impressionnistes. Elle prend nettement conscience d'elle-même avec Gauguin, Cézanne et Van Gogh. Après Manet, ce n'est pas une nouvelle école qui succède à d'autres : un nouveau *style* surgit, qui aide à comprendre les grands styles du passé égyptien, sumérien, roman, etc. Dorénavant l'œuvre d'art n'est plus soumise au paysage ou à l'objet, mais l'objet à l'œuvre d'art. « Le monde est fait pour aboutir à un beau livre, disait Mallarmé ; il l'est maintenant bien davantage pour aboutir à des tableaux » (A. Malraux).

XI

L'HEURE EXQUISE

DERNIER TIERS DU XIXᵉ SIÈCLE

Symbolisme et Impressionnisme

Lᴇ climat de réalisme et de déterminisme qui domine dans la deuxième moitié du XIXᵉ siècle n'était guère favorable à un épanouissement de la poésie et des arts. Aussi, vers 1870, se forme-t-il, dans les divers domaines de la vie artistique, une réaction contre le matérialisme ambiant; plusieurs rejettent ce réel — jugé vulgaire — pour un monde de beauté et de rêve. Sous peine de négliger un aspect essentiel de la civilisation française de ce siècle, il nous faut donc étudier à part cette heure, privilégiée entre toutes, de l'art français, que nous définirons d'une épithète verlainienne : *l'heure exquise.*

Déjà en pleine période romantique (première moitié du siècle), Théophile Gautier (1811-1872) avait défendu la doctrine de l'art pour l'art, rejetant du poème les théories sociales, politiques ou philosophiques : il s'était tourné vers le monde visible ou comme il disait, extérieur. Au milieu du siècle, le grand Baudelaire (1821-1867) avait résumé en lui tout son temps : par la perfection de sa forme il se rattachait à l'esthétique du Parnasse (dont le chef, Leconte de Lisle, voulait une poésie exacte et plutôt impersonnelle), mais par sa musicalité et son sens du mystère, il préludait à l'attitude poétique et artistique qui, vers 1870, allait devenir dominante — le refuge dans la pure *intériorité du rêve* et des *sensations*. Des vers comme ceux du sonnet des *Correspondances* ouvrent à la poésie des perspectives nouvelles :

> La Nature est un temple où de vivants piliers
> Laissent parfois sortir de confuses paroles :
> L'homme y passe à travers des forêts de symboles
> Qui l'observent avec des regards familiers.

Rodin : La Cathédrale. Rodin a voulu sculpter le drame de l'humanité entière, mais il a aussi cherché à rendre le frémissement de la vie et les jeux subtils de l'ombre et de la lumière.

Baudelaire, par Gustave Courbet (1848), le vigoureux chef de l'école « réaliste ».

Comme de longs échos qui de loin se confondent
Dans une ténébreuse et profonde unité
Vaste comme la nuit et comme la clarté,
Les parfums, les couleurs et les sons se répondent.

Le Symbolisme

De cette nouvelle attitude — symboliste et impressionniste — nous proposerons seulement quelques traits caractéristiques et nous constaterons surtout l'étroite parenté qui unit les diverses manifestations de l'esprit. Il est peu d'époques de la civilisation française, en effet, où les arts aient autant communié dans un même idéal et où ils aient exercé à l'étranger une influence aussi bouleversante.

VERLAINE
*ou la musique
subtile*

Quand on parle des symbolistes, le premier nom qui vient à l'esprit est celui de Paul Verlaine (1844-1896). S'il n'a pas la solidité et les préoccupations intellectuelles d'un Rimbaud (1854-1891) ou d'un Mallarmé (1842-1898), il possède par contre *le juste sentiment de l'accord* (au sens musical du terme) inattendu, vibrant, évocateur. Les mots perdent un peu de la netteté de leurs contours, et la rencontre de leurs rythmes, de leurs sonorités, de leurs significations possibles compose l'atmosphère typiquement verlainienne.

De la musique avant toute chose
Et pour cela préfère l'Impair[1]
Plus vague et plus soluble dans l'air
Sans rien en lui qui pèse ou qui pose.

136

Mallarmé par Edouard Manet (1876). Peu à peu Manet se détourne de Courbet et se convertit à la peinture claire.

Il faut aussi que tu n'ailles point
Choisir tes mots sans quelque méprise :
Rien de plus cher que la chanson grise
Où l'Indécis au Précis se joint.

C'est des beaux yeux derrière les voiles,
C'est le grand jour tremblant de midi,
C'est par un ciel d'automne attiédi,
Le bleu fouillis des claires étoiles!

Car nous voulons la Nuance encor,
Pas la Couleur, rien que la Nuance!
Oh! la Nuance seule fiance
Le rêve au rêve et la flûte au cor! (...)

(*Art Poétique*)

¹ Le vers comptant un nombre impair de syllabes.

Malgré son imprévisible nouveauté, cette poésie, plus impressionniste que vraiment symboliste, se rattache à la grande tradition française. Elle est bien la sœur littéraire de ces « fêtes galantes » de Watteau, dont Verlaine était épris. Voyez avec quelle précision, quelle sobriété et justesse de termes l'Indécis est suggéré. Après l'énoncé de l'idée fondamentale *joindre le précis à l'indécis* viennent les comparaisons qui l'éclairent :

Verlaine et Rimbaud à Londres par Félix Régamey (1872).

beaux yeux (*précis*) derrière les voiles (*indécis*)...
grand jour de midi (*précis*) tremblant (*indécis*)...
claires étoiles (*précis*) bleu fouillis (*indécis*)...

137

Camille Pissarro, par lui-même (1873).

Et comme la formule « non sans quelque méprise » est magiquement appliquée dans l'emploi ambigu du verbe « pose » ('placer' et 'prendre une pose') et de l'adjectif « grise » (à la fois ' demi-teinte ' et ' un peu ivre ')! Mais laissons cette lourde analyse. Il n'y a ici qu'à se laisser bercer par le mouvement des allitérations discrètes (par exemple : « qui pèse ou qui pose »), des rimes intérieures (par exemple : « Oh! la Nuance seule fiance »), bref par la poésie. Il importait pourtant de souligner que la musique dont se réclame Verlaine n'a rien d'un laisser-aller de l'intelligence. Elle aussi, à sa façon, est rigueur, mesure, goût.

Avec Rimbaud — comme avec Mallarmé — la musique prend, en plus de sa valeur d'enchantement, une valeur intellectuelle. Chez ces poètes, comme chez tous les poètes réellement symbolistes (Nerval, Baudelaire, Mallarmé, Maeterlinck, Claudel, etc.), *l'idée* est inséparable du poème et en détermine le développement. Leurs œuvres sont parfois extrêmement difficiles, même pour un lecteur français.

Le cas d'Arthur Rimbaud (1854-1891) est absolument unique. A 19 ans, il a fini d'écrire une œuvre poétique éblouissante, énigmatique, révoltée, qui orientera la poésie moderne dans une voie nouvelle : exploration de l'inconscient, engagement (religieux, politique ou philosophique). Ses œuvres ca-

Le coin de table, par Théodore Fantin-Latour (1872). A gauche Verlaine, puis Rimbaud. Fantin-Latour s'est fait une spécialité de ces portraits de groupes littéraires et artistiques.

Claude Monet : Impression, soleil levant (1874) — tableau qui est à l'origine du mot « impressionnisme ». D'abord l'impressionnisme a voulu être un super-réalisme : il a voulu corriger la vision en s'inspirant des révélations de l'optique (ombre violette, reflet au lieu de ligne, etc.). « Mais, ce faisant, il ruine la Réalité ou du moins ce qu'on prenait pour elle » (René Huyghe).

pitales sont *Une Saison en Enfer* et les *Illuminations* (prose et vers). Voici un exemple de cette poésie hermétique mais combien suggestive, et qui se prête à plusieurs interprétations :

> O saisons, ô châteaux,
> Quelle âme est sans défauts?
>
> O saisons, ô châteaux,
>
> J'ai fait la magique étude
> Du bonheur, que nul n'élude[1].
>
> O vive lui[2], chaque fois
> Que chante le coq gaulois.
>
> Mais je n'aurai plus d'envie,
> Il s'est chargé de ma vie.
>
> Ce charme! il prit âme et corps,
> Et dispersa tous efforts.
>
> Que comprendre à ma parole?
> Il fait qu'elle fuie et vole!
>
> O saisons, ô châteaux!

[1] n'élude = que nul ne peut éviter, [2] lui = ce bonheur (de l'ivresse, de l'illumination? de la grâce?)

Claude Monet par lui-même (1917).

STÉPHANE MALLARMÉ :
la sensibilité intellectuelle

Auguste Renoir, par lui-même (vers 1876).

Bien différente à première vue est la mentalité de Mallarmé. Alors que Rimbaud s'inspire le plus souvent dans ses poèmes des événements politiques, religieux, ou autres, Stéphane Mallarmé (1842-1898) fuit le réel et se réfugie dans un monde d'idées pures qu'il traduit en symboles raffinés. Tous deux pourtant voient dans le monde visible un système de « correspondances » avec un monde invisible : leur propre monde intérieur. Si j'ose proposer quelques vers assez difficiles de Mallarmé, c'est que l'un d'eux compte parmi les plus prodigieux de la langue française et qu'il vaut donc la peine de faire un effort pour tâcher de comprendre le plus complètement possible l'*Idée* que le poète a voulu suggérer.

Pour Mallarmé en effet, la poésie devait être un « Miroir de l'Univers ». Dans les vers qui suivent, Mallarmé se compare à un artiste chinois : Mallarmé décrit — et l'artiste chinois dessine sur un vase — un paysage nocturne. Qu'ont-ils de commun ? L'un et l'autre transforment la nature en une œuvre d'art : ils la transposent, la spiritualisent, créent une réalité supérieure au modèle. Notez comme chaque donnée naturelle du paysage (lac, lune, roseaux) s'affine (ligne, corne, cil). Mais le poète, comment va-t-il dans ces vers exprimer son idéal propre ? Lisons d'abord.

> Une ligne d'azur mince et pâle serait
> Un lac, parmi le ciel de porcelaine nue,
> Un clair croissant perdu par une blanche nue
> Trempe sa corne calme en la glace des eaux
> Non loin de trois grands cils d'émeraude, roseaux.

140

Quelle évocation plus prodigieuse des trois roseaux, peints par l'artiste chinois, que celle suggérée par l'image « trois grands cils d'émeraude »! Les *cils* sont non seulement fins mais ce qui dans l'homme est peut-être le plus « vibratoire », alors que *l'émeraude* suggère la précision et la rigueur. Nous pourrions ici terminer le commentaire : de fait, le vers se suffit à lui-même. Pourtant il prend une valeur encore plus impressionnante (et c'est ici que commence la difficulté dont nous venons de parler), si l'on songe au sens « philosophique » que Mallarmé a voulu mettre dans ce vers. Il écrit dans une lettre à propos d'un poème :

Paul Cézanne, par lui-même (1875-77).

La mélodie en est une ligne fine, comme tracée à l'encre de Chine, et dont l'apparente fixité n'a tant de charme que parce qu'elle est faite d'une vibration extrême.

Pour Mallarmé en effet l'œuvre parfaite doit être le produit d'une « sensibilité d'intelligence », une synthèse de tout l'homme, ce qu'on pourrait appeler une « fixité vibratoire » (fixité = intelligence; vibratoire = sensible). L'expression « cils d'émeraude » constitue donc tout un Art poétique : l'œuvre de l'artiste chinois — ou du poète — est parfaite parce qu'elle

Paul Cézanne : Les grandes baigneuses (vers 1900). « Faire du Poussin sur nature » (Cézanne). Cézanne veut retrouver la forme et les volumes, sacrifiés par l'impressionnisme, mais en partant — comme les impressionnistes — de la sensation.

141

Paul Gauguin : D'où venons-nous? Que sommes-nous? Où allons-nous? (1898). Détail. Rien chez Gauguin ne rappelle un orientalisme pittoresque. Contre une civilisation factice, il aspire à la pureté originelle. Gauguin rejette le modelé et la perspective linéaire, néglige le mouvement et le relief, peint par larges et calmes couches de couleurs. Stabilité, simplification et ordre, autant de caractères qu'il possède en commun avec les arts archaïques et primitifs.

Gauguin, par lui-même.

LES ARTS

— *L'impressionisme en peinture et en sculpture*

est à la fois intelligente et vibrante. Peu importe ici du reste le détail de la théorie : ce qu'il fallait signaler, c'est que cette poésie si musicale ne renonce pas à la clarté de l'intelligence, même si certains peuvent trouver cette intelligence un peu trop raffinée et si condensée qu'elle en devient obscure. On pourra indiquer l'influence de Schopenhauer ou d'autres penseurs sur Mallarmé : ce qui compte davantage, c'est sa « manière » qui reste, dans sa nouveauté, si française.

Rarement la civilisation française a accueilli autant d'écrivains étrangers: non seulement les Belges, — qui depuis des siècles participent à la même civilisation — mais les Américains : à côté des Belges Verhaeren, Maeterlinck, etc., les Américains Stuart Merril et Vielé-Griffin. Le mouvement littéraire symboliste se survivra au siècle suivant, entre autres dans l'œuvre de Paul Valéry (1871-1945) et de Paul Claudel (1868-1955). A cette heure exquise, *tous les arts* marchent la main dans la main. A la pensée poétique de Mallarmé correspond la peinture *symboliste* d'Odilon Redon (1840-1916), mettant, selon son expression, « la logique du visible au service de l'invisible ». Et que sont les strophes citées de Verlaine sinon une description exacte de la peinture *impressionniste* ? L'expression « grand jour tremblant de midi » résume bien l'essentiel de la nouvelle esthétique picturale : prédilection pour

Vincent Van Gogh : La nuit étoilée (1889). D'origine hollandaise, Van Gogh subit d'abord la séduction de l'impressionnisme français, mais comme ses amis Gauguin, etc., il le dépasse et, par des couleurs suggestives d'émotion crée un univers dont la vérité est l'angoisse.

la lumière naturelle et ses jeux toujours renouvelés, suppression des lignes nettes et des volumes, rejet de la couleur au profit des seules nuances (« le noir n'existe pas »!) et Courbet, le peintre réaliste, est jugé « trop noir ». Néanmoins les grands chefs de file conservent leur originalité et n'appliquent jamais mécaniquement une formule. Claude Monet (1840-1926) se consacre presque exclusivement au paysage. Sous son influence, Manet quitte l'esthétique de Courbet et se convertit à la peinture claire; il reste pourtant fidèle à lui-même (voir page 132). Degas (1834-1917), avec un goût formé par une solide culture classique, invente des harmonies colorées et se méfie de toutes les théories. Plus sensible et plus voluptueux, Renoir (1841-1919) emprunte à l'impressionnisme tout ce qui peut

Van Gogh, par lui-même (1888).

servir ses dons de coloriste. Et que d'autres tempéraments originaux : Pissarro, Sisley et le théoricien du *pointillisme*, Seurat (1859-1891). Sans trop s'en rendre compte parfois, certains de ces peintres opèrent dans l'histoire de l'art une *révolution profonde*. Ils se détachent de l'idéal de la Beauté que nous avons vu se former aux environs de la Renaissance, pour rejoindre à leur façon l'idéal des siècles précédents : ils se soucient moins de reproduire — magistralement — une apparence, que de rendre sensible à travers elle un au-delà, une Vérité. Van Gogh (1853-1890) par exemple, qui réintroduit

143

l'expressionnisme, évoque dans ses œuvres un univers d'une réalité hallucinante. Plus encore que Toulouse-Lautrec (1864-1901) l'ironiste, ou Gauguin (1848-1903) le peintre de l'humanité primitive, c'est Van Gogh et Cézanne (1839-1906) qui engageront les arts sur des voies nouvelles. Si Cézanne nous touche si intimement aujourd'hui, ce n'est pas d'abord, comme le fait remarquer Malraux, « parce qu'il a voulu traiter la nature par la sphère, le cylindre et le cône », mais bien parce que, comme les grands arts sacrés du moyen âge et de l'antiquité, il va plus loin que l'apparence même idéalisée, et nous conduit par celle-ci à une Vérité qui est la sienne et qui nous enrichit. C'est grâce à ces artistes que la civilisation française — et par elle le monde entier — a pu ouvrir les yeux sur *les grands arts du passé* : sumérien, égyptien, mexicain, roman, gothique, etc., regardés comme barbares depuis la Renaissance jusqu'à la fin du XIXe siècle. Ils ont fait comprendre que la déformation n'est pas nécessairement la preuve d'un manque d'habileté, mais l'effet d'une vision de l'au-delà que chaque époque a essayé de traduire en reformant les apparences en fonction du sens qu'elle leur attribuait.

En sculpture, Rodin (1840-1917) abandonne les formules traditionnelles pour exprimer, avec un mouvement plus subtil

Georges Seurat, jeune fille.

144

que celui de Rude et de Barye, toute la gamme des sentiments
humains. Nul comme lui n'est arrivé à suggérer, avec leurs
frémissements, les rêves et les aspirations de l'individu et de
l'humanité.

Les compositeurs Gabriel Fauré et Claude Debussy (Claude
de France, comme il aimait s'appeler) ne sont pas moins les
frères spirituels de Verlaine et de Mallarmé. Peu auparavant,
la musique française avait certes connu un renouveau avec
Saint-Saëns et surtout César Franck, mais Fauré et Debussy
ont en commun une même aversion pour la démesure romantique. Fauré (1845-1924), comme Mallarmé, voile une architecture solide sous des mélodies enveloppantes ; il suggère,
module, tout en nuances mais avec une conscience aiguë
des moyens employés. Claude Debussy (1862-1918) préfère
lui aussi à la ligne trop nette et au volume (c.-à-d. aux mélodies
trop précises et au contre-point) les sonorités délicates, les
harmonies capiteuses, l'atmosphère chatoyante. Tout en
reconnaissant les mérites de Wagner, Debussy enrichit l'art
d'une nouvelle esthétique et contribue à la renaissance de
la musique dans les divers pays d'Europe. Le Hongrois Béla
Bartok écrira par exemple :

*— L'impression-
nisme musical*

Henri de Toulouse-Lautrec, par
lui-même, (1880).

145

Edgar Degas : Danseuse sur la scène (vers 1876). Comme Toulouse-Lautrec, mais dans un esprit différent et avec une technique originale, Degas métamorphose la banalité. Il fait du mouvement le plus fugitif, ce que Mallarmé appelle « une fixité vibratoire ».

La Hongrie a souffert pendant des siècles de la proximité de l'Allemagne. Mais à la fin du XIXe siècle, un tournant s'opère : Debussy apparaît. On imagine aisément la signification que prenait l'art de Debussy pour les jeunes musiciens hongrois. La situation devint beaucoup plus stable et prit toute sa signification quand nous connûmes la musique de Ravel.

Debussy donnait en effet comme mot d'ordre : « déchiffrer la musique inscrite dans la nature », la musique spontanée du pays. Or, si l'Allemagne, avant la Renaissance et malgré ses grands génies musicaux, n'a pas de tradition musicale propre, les Espagnols, les Roumains, les Russes, les Anglais, etc., en avaient une, parfois très riche et dont il fallait restaurer, sinon les formules, du moins l'esprit de liberté (le folklore n'étant évidemment qu'un moyen). Pour Debussy encore, la musique n'a pas de fonction philosophique : elle « doit humblement chercher à faire plaisir » et la musique française est pour lui « la fantaisie dans la sensibilité ».

Edgar Degas, par lui-même.

146

L'heure exquise n'introduit certes pas dans la civilisation française une nouveauté absolue. Watteau, Couperin, Marivaux éprouvent la même répulsion pour la déclamation, le même amour de l'allusion et de la justesse. Ce qui reparaît sous une forme nouvelle, dans le symbolisme, l'impressionnisme pictural et musical, c'est l'aspect *aristocratique* de cette civilisation (donc un aspect parmi bien d'autres).

Mais cet aristocratisme a appris du romantisme et du naturalisme à trouver de la beauté et du *rêve* dans les objets les plus communs et à l'exprimer par tous les mots de la langue. De plus, dans le monde des couleurs, des sons et des rythmes il a su percevoir et traduire des *correspondances subtiles*, suggestives, inattendues et justes. Il n'est plus tant au service du *sentiment* qu'à celui de la *sensation*, mais d'une sensation à la fois éblouie et savante, constamment renouvelée. Enfin, par les grands peintres de la fin du siècle, il *élargit* les perspectives de l'art, en joignant aux conquêtes de la Renaissance les acquisitions et les idéaux du passé de l'humanité, en joignant à l'idéal de Beauté celui de Vérité.

Claude Debussy, par J.-E. Blanche.

Odilon Redon : L'Armure (vers 1885). L'éthique symboliste — comme son esthétique — vise à révéler dans et par le sensible l'idée que tout sensible recèle. Idée très différente selon les artistes : surréel de Nerval, « mystérieuse et profonde unité » de Baudelaire, Néant pour Mallarmé, « l'Humanité » pour Rimbaud, la Mort pour Maeterlinck, la Grâce pour Claudel, etc... A la différence des Impressionnistes, Redon refuse « de restreindre l'art du peintre à ne reproduire que ce qu'il voit ». « Toute mon originalité, écrit-il, consiste à faire vivre humainement des êtres invraisemblables selon les lois du vraisemblable ».

147

Faits politiques, économiques et sociaux	Littérature

1848-1852 — *Seconde République*
Abolition de l'esclavage dans les colonies (déjà supprimé sous la Révolution, puis rétabli par Napoléon).
Suffrage universel.
Essais, sans lendemain, de réalisations sociales.
Louis-Napoléon, président de la République.
1852-1870 — *Second Empire*
Napoléon est plébiscité Empereur des Français sous le nom de Napoléon III.
Prospérité, amélioration du sort de la classe ouvrière et multiplication du nombre des petits propriétaires. Triomphe de l'épargne. Néanmoins les conditions de l'ouvrier restent dures. L'armature du pays telle qu'elle devait durer jusqu'en 1914 date du second Empire : de 1870 à 1914 le franc ne changera pas de valeur. Au début, assez sévère, le régime impérial devient peu à peu libéral (dès 1860). En politique extérieure, Napoléon III veut naïvement pratiquer une politique « humanitaire » : droit des peuples à disposer d'eux-mêmes (mais il confond « nation » et « race »). Il s'attaque à l'Autriche et favorise la Prusse. De plus, pour faire de la France « le champion du droit des peuples », il manque de moyens : armée trop faible, ministres médiocres, alliances imprécises.
1869 — Ouverture du canal de Suez par Ferdinand de Lesseps.
1870 — *Guerre franco-allemande*. La France envahie perd l'Alsace et une partie de la Lorraine. L'Empire est renversé.
1870-1940 — *Troisième République*
1871 — *Mars-mai*. Insurrection de la *Commune* de Paris. Guerre civile. Répression violente. Le socialisme français, parfois utopiste mais basé sur le respect de la personne, disparaît. Le marxisme prend sa place.
après 1880 — *Réaction protectionniste*
1881-1885 — *Ministères Ferry :*
— gratuité de l'enseignement primaire
— liberté de réunion et de la presse
— protectorat en Tunisie, en Annam, à Madagascar
1886-1889 — *Crise boulangiste*. L'opinion croit voir dans le général Boulanger celui qui pourra redresser la France et reprendre les provinces perdues. Il n'ose pas faire un coup d'état et s'exile.
1894 — Affaire Dreyfus.
1907 — Extension de l'occupation française au Maroc.

Littérature (suite)

qu'elle est. En 1887, fondation du Théâtre Libre par Antoine, qui met en scène des œuvres d'un réalisme parfois cynique. Influence des auteurs scandinaves : Strindberg, etc. Les seules pièces valables que le symbolisme ait produites sont celles de *Maurice Maeterlinck* (1862-1949), qui suggère intensément mais non sans procédés le mystère de l'existence et ses terreurs.

HISTOIRE ET CRITIQUE

Elles deviennent plus objectives et plus précises avec *Fustel de Coulanges, Ernest Renan* et *Hippolyte Taine*, bien que parfois, pour ce dernier surtout, la philosophie déterministe entraîne des jugements dogmatiques. La critique prend des formes variées et parfois complémentaires : à prétentions dogmatiques avec *Ferdinand Brunetière*, impressionniste avec *Jules Lemaître*, curieuse d'idées avec *E. Faguet* et sans dogmatisme avec *Remy de Gourmont*, le critique de l'école symboliste.
La *science* pure se développe également. Il est impossible ici de citer tous les noms qui le mériteraient, ni de souligner l'esprit d'humanité dans lequel bon nombre d'entre eux conçoivent leur travail : *Claude Bernard, Louis Pasteur*, etc. Nous ne traiterons donc ni pour le xixᵉ ni pour le xxᵉ siècle le domaine de la science pure.

Le prestige et les progrès de la science donnent aux écrivains le souci de l'*objectivité*. Diffusion du positivisme d'A. Comte (= doctrine selon laquelle toutes nos certitudes nous sont données uniquement par l'observation et les sciences).

ROMAN

Le maître du roman *réaliste* est *Gustave Flaubert* (1821-1880). Malgré son tempérament romantique et son culte de la Beauté, Flaubert s'inspire de la méthode des sciences biologiques : il observe et décrit, sans juger.
Les frères *Goncourt (Edmond et Jules)* appliquent cette méthode à des cas exceptionnels et pathologiques.
Emile Zola (1840-1902) est le maître du *naturalisme*. Il décrit l'histoire naturelle et sociale d'une famille du second Empire : les Rougon-Macquart. Selon Zola, un auteur dans son roman expérimente comme un savant dans un laboratoire : variant les circonstances et les milieux, il met en lumière « le mécanisme des faits ». En réalité, Zola obéit plutôt à une généreuse inspiration épique.
Autres écrivains de même tendance : *Guy de Maupassant* (1850-1893), plus sobre que Zola, et *Alphonse Daudet* (1840-1897), plus poète.
A l'écart du réalisme : *E. Fromentin, Barbey d'Aurevilly, Villiers de l'Isle-Adam, Léon Bloy* et, dans une certaine mesure, *Joris-Karl Huysmans* qui abandonne le naturalisme pour le mysticisme et le symbolisme religieux.

POÉSIE

a) *Le Parnasse*. Son chef, *Leconte de Lisle* (1818-1894) discipline lui aussi une sensibilité romantique et prétend unir l'Art et la Science. Il exige une forme dense et précise, parfois éclatante mais aussi parfois conventionnelle. Autres poètes : *Th. de Banville, Sully-Prudhomme, Fr. Coppée, Hérédia*.

b) *Le Symbolisme* a surtout été préparé par *Charles Baudelaire* (1821-1867). Il continue la réaction romantique contre la société et le réalisme bourgeois, mais invente un langage nouveau. Baudelaire est proche des Parnassiens par la pureté et la densité de sa forme, mais il chante dans « Les Fleurs du Mal » le monde intérieur, et recherche les « correspondances » du sensible et de l'invisible.
Arthur Rimbaud (1854-1891), jeune poète révolté, suit la voie tracée par Baudelaire mais crée un univers bien plus étrange. Plus révoltée encore est l'œuvre frénétique de *Lautréamont* (1846-1870) : « Les Chants de Maldoror ».
Paul Verlaine (1844-1896) abandonne vers 1870 l'esthétique parnassienne pour se réfugier dans une poésie musicale et suggestive, toute de finesse et d'allusions. Par la suite, son art se dégrade.
Même si le mot « symboliste » pour désigner un groupe n'apparaît qu'en 1886, l'idéal qu'il recouvre a commencé plus tôt et se répand surtout à partir de 1870. Le plus grand et le plus difficile des poètes nouveaux est *Stéphane Mallarmé* (1842-1898), qui traduit dans une forme musicale une pensée rigoureuse.
Autres poètes : G. Nouveau, Stuart Merril, Vielé-Griffin René Ghil, J. Laforgue, Verhaeren, Rodenbach, Maeterlinck, etc.

c) *En 1891, réaction de Jean Moréas (école romane)* qui oppose aux brumes du symbolisme dites « nordiques », la lumière méditerranéenne et l'idéal de la Renaissance.

THÉÂTRE

Le théâtre s'oriente vers la peinture des mœurs contemporaines : *Augier, Dumas fils, Labiche*. Après 1880, H. *Becque* veut présenter sans commentaires la vie telle

Architecture, sculpture, peinture, etc	Musique

L'ARCHITECTURE

Le second Empire est une époque d'urbanisme : le baron *Haussmann* transforme Paris. *Charles Garnier* y construit l'Opéra. Nouveaux matériaux — fer et fonte — mais peu d'originalité (Tour Eiffel, 1889).

LA SCULPTURE

Les sculpteurs Rude et Barye continuent de créer. A la suite de Rude, *Jean-Baptiste Carpeaux* (1827-1875) retrouve ce don de la vie et de la grâce qui avait caractérisé Houdon. Le génie du siècle est *Auguste Rodin* (1840-1917) tempérament fougueux, imaginatif et discipliné. Il est révélé au public en 1877 avec « L'Age d'airain ». Nul comme lui n'a su rendre dans son jaillissement le rêve intérieur de l'homme et celui de l'humanité. Tout différent est l'art d'*Edgard Degas* (1834-1917), également connu comme peintre impressionniste, mais plus froid et plus ironiste. Il est à noter que presque tous les grands sculpteurs après Rude ont été aussi des peintres (Barye, Carpeaux, Rodin) : signe de la prédominance de la peinture ou de son esprit.

LA PEINTURE

a) *dans la ligne réaliste : Gustave Courbet* (1819-1877), considéré comme le chef de l'école réaliste, réagit à la fois contre Ingres et Delacroix. Il veut peindre objectivement les choses et les hommes, exprimer la relation primitive de l'homme avec la nature et la terre.
Edouard Manet (1832-1883) peint d'abord dans l'esprit de Courbet mais se convertit, sous l'influence de Monet, à la peinture claire de l'impressionnisme. *François Millet* (1815-1875) s'attache aux paysans, avec une volonté de prédication sociale. Sa peinture en souffre.
Les paysagistes : *Théodore Rousseau* (1812-1867) et surtout *Jean-Baptiste Corot* (1796-1875), le plus indépendant de tous, travaillant dans la tradition de Poussin et de quelques bons peintres du XVIIIᵉ siècle français. Corot a passionnément aimé la nature, et, comme peintre, il a su lui donner une nouvelle harmonie : celle de *son* atmosphère à lui, de *ses* formes, de sa création propre. Autres paysagistes : J. *Dupré*, *Diaz*, *Troyon*, etc.
Nombreux peintres d'histoire, préoccupés d'exactitude scientifique : *Meissonier*, J.-P. *Laurens* et, plus sophistiqué, *Gustave Moreau*. Un bon orientaliste : *Fromentin* et un excellent graveur sur bois : *Gustave Doré*. Académisme et convention : *Cabanel*, *Bouguereau*, etc.
b) *dans la ligne impressionniste* (voir le chapitre « L'Heure Exquise »). Aux remarques déjà faites, ajoutons les précisions suivantes. De la nouvelle esthétique, *Claude Monet* (1840-1926) est le maître et le virtuose. *Camille Pissarro* (1831-1903) annonce, par sa légèreté de touche, la technique du pointillisme. Autres artistes étroitement rattachés à Monet et Manet : *Berthe Morisot* (1841-1895), *Alfred Sisley* (1839-1899) et *Jongkind* (1819-1891).
Dans l'orbite de l'impressionnisme : Edgard Degas cherchant la vérité dans le mouvement, *Henry de Toulouse-Lautrec* (1864-1901), *Eugène Carrière* et *Théodore Fantin-Latour*, le portraitiste des écrivains impressionnistes.
Des grands peintres, issus de l'impressionnisme mais ouvrant de nouvelles voies — *Paul Cézanne* (1839-1906), *Vincent Van Gogh* (1853-1890), *Paul Gauguin* (1848-1903), *Auguste Renoir* (1841-1919), — il a déjà été question dans le chapitre.
Ajoutons *Gustave Moreau* et surtout *Odilon Redon* aux symboles étranges, puis les néo-impressionnistes, dont le chef *Paul Signac* (1863-1935) invente le pointillisme (= juxtaposition de points de couleurs pures). En fait, il y a là une réaction intellectuelle contre les tendances au flou et à l'inorganique favorisées par l'impressionnisme de Monet. *Georges Seurat* (1859-1891) applique la même technique dans de vastes compositions.
Signalons enfin, hors de toute école, *Puvis de Chavannes* (1824-1898) à l'art dépouillé, monumental mais assez froid.

Wagner (1813-1883) est admiré en France mais suscite peu d'imitateurs. Malgré son génie écrasant, il rebute certains par son dogmatisme et sa lourdeur.
Dès la moitié du XIXᵉ siècle, on assiste à la lente mais sûre renaissance de l'esprit musical.

a) *dans le sillage du romantisme* mais avec un retour toujours plus marqué à la tradition du pays. Pour la musique d'opéra : *Charles Gounod* (1818-1893) qui réagit contre Meyerbeer (« Faust » 1859) et retrouve une inspiration claire et sincère, sans galimatias.

Georges Bizet (1838-1875) compose dans un esprit tout différent de celui de Wagner : net, incisif, spontané (« Carmen » 1875).

Camille Saint-Saëns (1835-1921) n'aime guère le romantisme et s'attache à Bach et Rameau, sans méconnaître Beethoven ni Liszt. Classique jusqu'à l'excès mais doué d'imagination. Ravel verra en lui un de ses maîtres.

Jules Massenet (1842-1912), d'inspiration un peu courte et facile mais non sans charme (« Manon », « Thaïs »).

b) *dans le sillage du romantisme allemand* pour les formes symphoniques.

César Franck (1822-1890), né à Liège, impose aux formes allemandes un accent nouveau, dû à son tempérament religieux et à la pureté rayonnante de son inspiration. *Vincent d'Indy* (1851-1931) son élève, fonde la Schola Cantorum. Lui aussi s'inspire des Allemands — de Bach à Wagner — mais il exige la religion et le retour au folklore national. Finalement il se rattache plus à Rameau qu'à Wagner par sa clarté, sa charité et sa rigueur contenue. Autres musiciens dépendant plus ou moins de César Franck : Duparc, Chausson, Ropartz, Lekeu, Tournemire, Ch. Bordes, etc.

A citer à part, *Edouard Lalo* (1823-1892) et surtout *Emmanuel Chabrier* (1841-1894), admirateur de Wagner mais combien différent ! Il écrit une musique pleine de rythme, d'humour et de truculence, mais aussi de cette sensibilité pudique qui est le vrai climat de la musique française. Il favorise l'avènement de l'impressionnisme musical.

c) *l'apogée de la musique française : l'impressionnisme.* L'impressionnisme musical, légèrement en retard sur l'impressionnisme pictural et littéraire, était certes en marche avant Fauré, Debussy et Ravel. Des Français comme Chabrier et des Russes (Moussorgsky) lui avaient montré la voie.

Gabriel Fauré (1845-1924) dissimule une architecture solide sous des formes enveloppantes. D'une exquise réserve, il n'est rien pourtant qu'il ne sache suggérer : regret, nostalgie, émoi. Musique toute en nuances et de tendresse. Il renoue avec la tradition du chant grégorien (modes) et module avec une justesse et une souplesse que nul n'a pu imiter après lui (voir « Musique » au premier tableau).

Claude Debussy (1862-1918) hait la démesure romantique et goûte en Chabrier, en Satie et en Moussorgsky et même dans la musique balinaise un langage plus vrai et plus souple. Il cherche surtout à créer une atmosphère chatoyante et mystérieuse où chaque accord prend sa valeur. A la couleur il préfère la nuance; au trait suivi, la touche légère. Son influence sur la musique mondiale est décisive.
Maurice Ravel (1875-1937) se sent proche de Chabrier mais dès le début est tout à fait lui-même. Il rejoint l'esprit de Couperin et de Rameau : mélodie fermement dessinée, construction plus intellectuelle que celle de Debussy, amour de la précision et hardiesse plus grande des harmonies. Art d'élégance suprême et imagination éblouissante.

Du culte de la vie qui se manifeste au tournant du siècle, l'Héraklès de Bourdelle (1909) traduit bien l'aspect violent et conquérant. Ce culte de la vie, en littérature (Péguy, Gide), en philosophie (Bergson), en art, est éloigné d'un plat réalisme. Il s'appuie sur la croyance en un cosmos unifié soit par la foi religieuse (Péguy, Claudel) qui revivifie ses racines populaires, soit par la croyance à l'élan vital (Bergson), soit par le sens de la responsabilité collective (Maurras, Duhamel) ou de la sincérité (Gide).

150

XII

L'HEURE DE LA VIE

FIN DU XIXᵉ ET DÉBUT DU XXᵉ SIÈCLE

Des caractères de l'heure exquise (symbolisme, impressionnisme), il était possible de parler sans trop faire allusion à l'actualité : ou bien les artistes du moment pouvaient, grâce à la prospérité du pays ou à leur fortune personnelle, s'évader du réel — ou bien, comme Verlaine, ils vivaient à la diable, au jour le jour et au milieu de l'incompréhension générale.

RETOUR A LA VIE

Il n'en va plus de même au tournant du siècle. L'affaire Dreyfus (1894-1906) va marquer toute une génération qui doit prendre parti pour ou contre la révision du procès de l'officier juif injustement condamné pour espionnage. Dans cette affaire qui déchira le pays, le vrai l'emporta sur l'utile : mieux valait une humiliation de l'armée qu'une injustice approuvée. La civilisation française n'a pas admis « qu'un seul homme meure pour tout le peuple ».

AFFAIRE DREYFUS

Mais les résistances avaient été dures à vaincre : la mode était au culte de la vie. De même qu'on se flattait auparavant d'être individualiste, on se rendait compte à présent de la nécessité de songer au salut *collectif*. L'écrivain Anatole France quitte alors son scepticisme souriant pour une conviction démocratique. Barrès, écrivain et homme politique, renonce à son « égotisme » (culte de moi) pour prêcher le culte des ancêtres. Le socialisme avec Jaurès et le christianisme social avec Albert de Mun entrent dans les masses.

CULTE DE LA VIE

— *Les écrivains s'engagent*

A cette évolution des esprits le philosophe Bergson contribua puissamment par sa doctrine de « l'élan vital », imprévisible et spirituel. Il démontrait que certaines vérités — les plus importantes — ne sont données que par *l'intuition*, et non par l'intelligence qui organise les sciences. Dans un monde où la technique se développe, il appelait instamment un « supplé-

— *Nouvelle philosophie : Bergson*

ment d'âme ». Parallèlement se manifestèrent des tendances nationalistes, anti-rationalistes (école romane, Charles Maurras) et se formèrent des groupes soucieux d'explorer les secrets de l'âme collective — famille, ville, pays, etc — (unanimisme : Georges Duhamel, Jules Romains, etc.).

L'attitude scientiste autant que l'attitude symboliste étaient condamnées à se transformer ou à laisser place à une nouvelle conception de la Vie, de la liberté et de l'action.

De cette « heure de la Vie » — qui précède la première guerre mondiale — l'écrivain et homme d'action le plus profondément sympathique et le plus complètement français a sans doute été Charles Péguy. Il en est peu qui aient assimilé et unifié comme lui les richesses en apparence les plus hétérogènes de la civilisation française. En celle-ci il voit, selon l'esprit de Bergson, une *création* ininterrompue et originale de la liberté, une Vie que seule une *expérience* semblable permet de comprendre, une Vie que chacun doit — *librement* — entretenir en soi et développer.

De modeste origine, universitaire, normalien, Péguy s'écarte de la Sorbonne qu'il accuse d'être la citadelle d'un intellectualisme desséchant. Il repense à sa façon (socialiste et catholique à la fois) la tradition de son pays, qu'il incarne surtout dans ses saintes, Geneviève et Jeanne d'Arc. Disciple de Bergson mais converti à un catholicisme populaire et moyen-

Charles Péguy, par J.-P. Laurens (1908).

Maurice Denis (1870-1943). Hommage à Cézanne. Les membres du groupe des Nabis réunis dans le magasin de Vollard, autour d'une nature morte de Cézanne. M. Denis, fondateur et théoricien des Nabis (prophètes), veut rendre à l'art une valeur de signification souvent religieuse.

âgeux, il unit la plus grande tolérance aux convictions les plus fermes et à l'action la plus directe. A la différence de son ami Romain Rolland, il choisit la tradition nationale et se refuse à planer « au-dessus des mêlées ». Péguy meurt à la guerre, tué d'une balle au front.

Le style de Péguy est unique en son genre : litanie poétique, a-t-on dit. C'est une *méditation prolongée* sur un même thème, sur un même mot chargé de sens. Elle prépare le cœur à s'imprégner de ce que l'esprit a été amené à répéter et à nuancer. Péguy veut ainsi conduire son lecteur à une connaissance vivante, à une « découverte » vraie, et non au « bien connaître » superficiel. Dans cet apparent désordre il y a pourtant une rigoureuse progression, non point sur le mode géométrique mais selon la *marche naturelle de l'esprit*, par allées et venues et le plus souvent avec un sens infaillible du mot juste, de la complexité du sentiment exprimé. Nul aristocratisme pourtant : un paysan pourrait parler ainsi, un de ces Français que Péguy aimait tant : de vieille race, simple et vrai. Le passage qui suit nous aide à la fois à connaître le Dieu de Péguy et à entrevoir sa façon — bergsonienne — de comprendre l'histoire et la liberté. Péguy estime que seule la vie (son expérience de chrétien et de Français) lui permet d'interpréter exactement la vie et la mentalité de ses aïeux : pour comprendre quelqu'un, il faut *coïncider* avec lui.

On se rappelle le texte de Joinville (voir page 29) où Saint Louis reproche à son ami de préférer un péché mortel à la

— l'originalité :

reproduire dans l'écrit le rythme de la pensée vivante

Paul Claudel, par un Chinois.

Histoire et intuition

153

Paul Signac (1863-1935), Seine, Grenelle (1899). Théoricien du pointillisme, Signac confère à l'impressionnisme la solidité que celui-ci avait abandonnée.

lèpre. Voyons comment Péguy (par les yeux de Dieu qui est l'Etre absolument libre et aimant) jouit de cet épisode :

Portrait d'Henri Bergson (1859-1941).

(*Dieu dit* :)

Quand il [Saint Louis] dit qu'il aimerait mieux être lépreux que de tomber en péché mortel (tant il m'aime), c'est vrai.
Lui je sais que c'est vrai.
Ce n'est pas vrai seulement qu'il le dit.
C'est vrai que c'est vrai. Il ne dit pas ça pour que ça fasse bien.
Il ne dit pas ça parce qu'il a vu ça dans les livres ni parce qu'on lui a dit de le dire. Il dit ça parce que ça est.
Il m'aime à ce point. Il m'aime ainsi. Librement. La preuve que j'en ai dans la même race,
C'est que le sire de Joinville (que j'aime tant tout de même) qui est un autre baron français,
Qui aimerait mieux au contraire avoir commis trente péchés mortels que de devenir lépreux,
(Trente, le malheureux, comme il ne sait pas ce qu'il dit)
Ne se gêne pas non plus pour dire ce qu'il pense
C'est-à-dire pour dire le contraire
En présence d'un si grand roi. (...) La liberté de parole
De celui qui ne veut pas risquer le coup
D'être lépreux plutôt que de tomber en péché mortel
Me garantit la liberté de parole de celui qui aime mieux être lépreux
Que de tomber en péché mortel.
Si l'un dit ce qu'il pense, l'autre aussi dit ce qu'il pense.
Que ne ferait-on pas pour être aimé par de tels hommes!

154

Pierre Bonnard (1867-1947), L'après-midi bourgeoise (vers 1902-1903). Les Nabis — dont Bonnard faisait partie — définissaient l'art une déformation subjective de la Nature. Bonnard pourtant se préoccupe moins de théorie et peint souvent le bonheur attendri de la vie familiale et bourgeoise.

Un peu plus loin, toujours par la voix de Dieu, Péguy exprime avec une fierté volontairement naïve l'amour qu'il porte à son peuple :

Peuple, les peuples de la terre te disent léger
Parce que tu es un peuple prompt.
Les peuples pharisiens te disent léger
Parce que tu es un peuple vite.
Tu es arrivé avant que les autres soient partis.
Mais moi je t'ai pesé, dit Dieu, et je ne t'ai point trouvé léger.
O peuple inventeur de la cathédrale, je ne t'ai point trouvé
léger en foi.
O peuple inventeur de la croisade, je ne t'ai point trouvé
léger en charité.
Quant à l'espérance, il vaut mieux ne pas en parler,
il n'y en a que pour eux. (...)
Nos Français sont comme tout le monde, dit Dieu.
Peu de saints, beaucoup de pécheurs.
Un saint, trois pécheurs. Et trente pécheurs. Et trois
cents pécheurs. Et plus.
Mais j'aime mieux un saint qui a des défauts qu'un pécheur
qui n'en a pas. Non, je veux dire :
J'aime mieux un saint qui a des défauts qu'un neutre
qui n'en a pas.
Je suis ainsi.

Paul Valéry, buste par Paul Niclausse (vers 1930).

Toute sa vie, Péguy a vécu et parlé de la tradition française. Il se trouve aussi « en famille » avec Descartes et Corneille

L'actualité

155

qu'avec Hugo.

Mais, comme il exalte l'ancienne France, il défend la nouvelle :

> Quand vous traitez si légèrement... la République..., vous ne risquez pas seulement d'être injustes,... vous risquez d'être sots... Des hommes sont morts pour la liberté comme des hommes sont morts pour la foi.

Mystique et politique

Dans tous les domaines de l'activité humaine — religion, politique ou philosophie — Péguy distingue toujours la mystique et la politique. La « mystique » est un élan profond et désintéressé, un enthousiasme. La politique qui lui fait suite, en est une dégradation — l'idéal est alors utilisé, discuté comme une chose morte. De même que Bergson, Péguy se donne pour tâche de sauvegarder la mystique :

> L'essentiel est que dans chaque ordre, dans chaque système la mystique ne soit point dévorée par la politique à laquelle elle a donné naissance.

AUTRES FORMES DU RESPECT DE LA VIE

Cette Vie, vers laquelle le siècle naissant se tourne, d'autres penseurs et artistes français la célèbrent sous des formes différentes : Claudel avec intransigeance, l'identifiant à la vie catholique, Gide en individualiste et en champion de la

sincérité totale, Charles Maurras en nationaliste, Romain Rolland en internationaliste. Et que d'autres il faudrait nommer...

C'est pourtant entre P. Claudel et A. Gide — deux amis devenus ennemis — que se manifeste le plus évidemment l'ambiguïté de cette Vie dont chacun se voulait le porte-parole. Converti en 1886 au catholicisme, P. Claudel élabore et met en pratique un « Art poétique » qui rejoint les théories médiévales sur l'analogie universelle mais dont les expressions jaillissent d'une intense — quoique fort intolérante — expérience religieuse. Poète et dramaturge, ou plutôt poète dans tous les genres qu'il aborde, Claudel apparaît comme l'un des plus grands magiciens du verbe. Son lyrisme, pour s'exprimer, a inventé ce que l'on appelle le verset claudélien, plus souple que l'alexandrin et réglé par l'émission du souffle du récitant :

Soyez béni, mon Dieu, qui m'avez délivré des idoles,
et qui faites que je n'adore que Vous seul, et non point Isis et Osiris,
Ou la Justice, ou le Progrès, ou la Vérité ou la Divinité, ou l'Humanité,
ou les Lois de la Nature, ou l'Art, ou la Beauté,
Et qui n'avez pas permis d'exister à toutes ces choses qui ne sont pas,
ou le Vide laissé par votre absence.
Comme le sauvage qui se bâtit une pirogue et qui de cette planche
en trop fabrique Apollon,
Ainsi tous ces parleurs de paroles du surplus de leurs adjectifs se
sont fait des monstres sans substance,

Plus creux que Moloch, mangeurs de petits enfants, plus cruels et plus hideux que Moloch.

(Cinq grandes Odes, III)

ANDRÉ GIDE
ou le culte de la Sincérité

André Gide, par P.-A. Laurens (1924).

Pourtant, en face de Claudel et de sa conception de la Vie, il importe de dresser André Gide (1869-1951), le champion de la Sincérité plus strictement individualiste. Alors que Claudel avait vécu, même quand il était non croyant, dans une atmosphère catholique et traditionnelle où nulle opposition ne se manifestait entre la Vie et le divin, Gide reçut une éducation sévère et calviniste. Sa libération sera davantage teintée de révolte et plus solitaire. Un des livres qui, une quinzaine d'années après sa publication, a exercé le plus d'influence sur la jeunesse française et même européenne s'intitule *Les Nourritures Terrestres* (1897). Dans ce petit ouvrage lyrique, où se faisait sentir, entre autres, l'influence du Zarathoustra de Nietzsche, Gide se tourne vers la vie loin des conventions et des livres. Il écrira en 1927 :

« J'écrivais ce livre (Les Nourritures Terrestres) à un moment où la littérature sentait furieusement le factice et le renfermé; où il me paraissait urgent de la faire à nouveau toucher terre et poser sur le sol un pied nu. »

Ses « Nourritures » ont été interprétées en divers sens, et surtout comme « la glorification du désir et des instincts » mais Gide a protesté et prétend qu'il prêchait avant tout « le dénuement, l'oubli de soi pour se réaliser parfaitement et ainsi trouver le bonheur ».

Citons un paragraphe du livre :

Émile Gallé, Coupe.

... Etre me devenait énormément voluptueux. J'eusse voulu goûter toutes les formes de la vie ; celle des poissons et des plantes. Entre toutes les joies des sens, j'enviais celles du toucher (...)
... A cet âge, mes pieds nus étaient friands du contact de la terre mouillée, du clapot des flaques, de la fraîcheur ou de la tiédeur de la boue. Je sais pourquoi j'aimais tant l'eau et surtout les choses mouillées : c'est que l'eau plus que l'air nous donne la sensation immédiatement différente de ses températures variées. J'aimais les souffles mouillés de l'automne... Pluvieuse terre de Normandie.

Mais la sincérité gidienne va bien plus loin et est plus exigeante que la fidélité aux sensations. Il termine *Les Nouvelles Nourritures Terrestres* par ces mots :

Camarade, n'accepte pas la vie telle que te la proposent les hommes. Ne cesse point de te persuader qu'elle pourrait être plus belle, la vie ; la tienne et celle des autres hommes ; non point une autre, future, qui nous consolerait de celle-ci et qui nous aiderait à accepter sa misère. N'accepte pas. Du jour où tu commenceras à comprendre que le responsable de presque tous les maux de la vie, ce n'est pas Dieu, ce sont les hommes, tu ne prendras plus ton parti de ces maux. Ne sacrifie pas aux idoles.

Marie Laurencin (1855-1956), Apollinaire au milieu de ses amis (1909). Au centre, Apollinaire ; derrière lui le pont Mirabeau, à sa droite un ange couronné de fruits, puis Fernande Olivier, la femme de Picasso, et l'Américaine Gertrude Stein qui fut une des premières à soutenir les Cubistes. A la gauche du poète : Picasso, une amie non identifiée du groupe, le poète Cremnitz et, au piano, Marie Laurencin.

159

Anatole France (1844-1924) Buste
par Antoine Bourdelle (1919).

Néanmoins Gide pose plus de questions qu'il n'ose proposer
de réponses. « Je suis un être de dialogue et non point d'affirmation ». De toutes ses œuvres — romans, pièces de théâtre,
essais, etc. — son *Journal* demeure la voie la plus directe
pour atteindre le cœur de sa personnalité. C'est là qu'on peut
non seulement voir revivre toute une période de la vie française mais assister aux réflexions, aux recherches, aux anxié-
tés de ce grand interrogateur.

Écrivain moins individualiste et moins « artiste » que le précédent, plus attentif aux aspects collectifs de la Vie — qu'elle
s'exprime dans les héros, phares de l'humanité, ou dans les
diverses civilisations — Romain Rolland publie, de 1903 à
1912, les dix volumes de son roman-fleuve, *Jean-Christophe*.
La vie de ce musicien allemand, réfugié en France, offre à
l'auteur l'occasion de comparer les deux civilisations ou mentalités voisines dont ils pressent l'affrontement prochain et qu'il
voudrait complémentaires et fraternelles. Dans le passage qui
suit, Romain Rolland, dans l'esprit de l'époque, critique le
byzantinisme intellectuel de la génération précédente pour
mieux exalter les valeurs et les joies de la création (« Toutes
les joies de la vie sont des joies de créer : amour, génie, action
— flambées de force sorties de l'unique brasier ») :

— Nous sommes des artistes, répétait avec complaisance Sylvain
Kohn. Nous faisons de l'art pour l'art (...) Nous explorons la vie,

Entourage de métro, à Paris.
Phénomène européen, l'Art nouveau (Jugendstil en Allemagne,
Modern Style en Angleterre),
appelé aussi style 1900 traduit bien
dans l'architecture et l'ameuble-
ment, le goût renouvelé pour la Vie
spontanée, imprévisible et exubé-
rante, pour la « Durée ». On pourrait relever son influence jusque
dans le graphisme des grands
maîtres du temps : Van Gogh et
Seurat (dans leurs dernières
œuvres), Toulouse-Lautrec et bien
d'autres - même si, souvent, cet art
se ressent de l'aspect aristocratique
et des artifices du symbolisme "fin
de siècle".

en touristes que tout amuse. Nous sommes les curieux de rares
voluptés, les éternels Don Juan amoureux de la beauté.

— Vous êtes des hypocrites, finit par protester Christophe. Pardon-
nez-moi de vous le dire. Je croyais jusqu'ici qu'il n'y avait que mon
pays qui l'était. En Allemagne, nous avons l'hypocrisie de parler
toujours d'idéalisme, en poursuivant toujours notre intérêt ; et
nous nous persuadons que nous sommes idéalistes, en ne pensant
qu'à notre égoïsme. Mais vous êtes bien pires : vous couvrez du
nom d'Art et de Beauté (avec une majuscule) votre luxure nationale,
— quand vous n'abritez point votre Pilatisme moral sous le nom de
Vérité, de Science, de Devoir intellectuel, qui se lave les mains des
conséquences possibles de ses recherches hautaines.
L'art pour l'art !... Une foi magnifique ! Mais la foi seulement des
forts (...) L'art est la vie domptée. L'empereur de la vie (...). Vous cul-
tivez amoureusement les maladies de votre peuple, sa peur de l'effort,
son amour du plaisir, des idéologies sensuelles, de l'humanitarisme
chimérique, de tout ce qui engourdit la volonté et peut lui enlever
toutes ses raisons d'agir. Vous le menez droit aux fumeries d'opium.
Et vous le savez bien; mais vous ne le dites point : la mort est au boût.

— Eh bien, moi, je dis : où est la mort, l'art n'est point. L'art, c'est
ce qui fait vivre. Mais les plus honnêtes d'entre vos écrivains sont
si lâches que, même quand le bandeau leur est tombé des yeux,
ils affectent de ne pas voir ; ils ont le front de dire :
— C'est dangereux, je l'avoue ; il y a du poison là-dedans ; mais
c'est plein de talent.
Comme si, en correctionnelle, le juge disait d'un apache :
— Il est gredin, c'est vrai ; mais il a tant de talent !...

G. Moreau : Salomé. Symboliste
comme O. Redon, il recherche
sous des sujets parfois trop littéraires, le mystère des choses
(1826-1898).

Les arts manifestent aussi le goût de la *vie* et du *concret*. Certes
le raffinement impressionniste séduit toujours bon nombre
de peintres et de musiciens, mais entre 1905 et 1910 s'affirme
dans la peinture une double réaction : celle des *fauves* (Matisse,
Dufy, Derain, Rouault, etc.) qui renoncent aux analyses
subtiles de la lumière au profit des couleurs nettes, étalées,
cernées — celle des *cubistes* (Braque, Picasso, etc.) qui, à
la suite de Cézanne, dégagent les volumes et s'attachent plus
à l'analyse géométrique et au rythme des formes qu'à la couleur. Entre ces deux tendances se situent bien des talents
originaux. La sculpture, elle aussi, se fait plus solide, moins
fluide qu'avec Rodin : Bourdelle, Despiau, Pompon et surtout
Maillol reviennent à l'œuvre charpentée et architecturale.
En musique l'impressionnisme s'attarde jusqu'à la première
guerre mondiale. Notons cependant l'apparition de Maurice
Ravel (1875-1937) dont l'œuvre, plus intellectuelle et plus
construite, retrouve avec une imagination éblouissante, l'équilibre et la logique des XVIIe et XVIIIe siècles.

Maurice Ravel (1875-1937)

161

L'art gothique supposait une civilisation orientée vers le divin. Aujourd'hui, la société cherche à nouveau un absolu. Certains croyants voient le salut dans un retour aux valeurs traditionnelles. C'est le cas de Georges Rouault dont cette « Sainte Face » (1933) ne vise pas à séduire le public, mais à révéler une Vérité : le Christ de la foi. D'autres, non croyants, s'efforcent aussi de sauvegarder, d'une manière ou d'une autre, les valeurs de la tradition gréco-latine.

XIII

LA QUÊTE DE L'HOMME

APRÈS 1918

Dans le sens de la Tradition

A LA RECHERCHE
DU NOUVEAU

1918
Les arts

Plus nous nous rapprochons de notre temps, plus il est délicat de prétendre discerner les caractères d'une civilisation dans laquelle nous sommes plongés et « intéressés ». A première vue en effet les tendances sont contradictoires. Sans doute, après 1918, *le retour au réel* s'accentue dans les arts. En musique, le groupe des Six (Darius Milhaud, Honegger, etc.) renonce au raffinement de Debussy et ne dédaigne pas, quelquefois, de chercher son inspiration au café-concert. De toute façon, on réclame une forme robuste, une construction *solide*. La peinture elle aussi abandonne la subtilité pour les *couleurs éclatantes* (lignée de Matisse) ou pour l'équilibre calculé des *volumes* (lignée de Braque). Dans la littérature par contre, surtout chez les plus jeunes, éclate une ivresse anarchique : sous l'influence de Freud, les surréalistes (André Breton) s'engagent dans de dangereuses mais fécondes explorations de la subconscience. Parallèlement se poursuivent, sous des formes renouvelées, les traditions littéraires du siècle précédent. Ainsi Marcel Proust, tout en brossant le tableau de la société aristocratique de son temps, s'engage, dans un esprit, à certains égards, bergsonien, « à la recherche du temps perdu », c.-à-d. essaie de rendre actuelles par son évocation les moindres impressions de son passé et de dégager leur essence. André Gide continue de séduire une partie de la jeunesse, en l'invitant à jouir des « nourritures terrestres », à faire confiance à la vie, à oser pratiquer une sincérité totale. Le délicat poète Valéry poursuit la tentative de Mallarmé tandis que Claudel, poète, dramaturge, essayiste, construit une œuvre tout entière fondée sur le symbolisme catholique. Vers 1930, le dilettantisme marque un recul encore plus net.

Aristide Maillol : La Pensée. Art enraciné dans la tradition gréco-romaine, et plus soucieux de solidité architecturale que celui de Rodin.

Vers 1930

163

Ci-contre

Au rendez-vous des amis. Tableau de Max Ernst (1923), membre actif de l'école de Paris et de l'école surréaliste. On voit entre autre Robert Desnos, Hans Arp, Paul Eluard, Louis Aragon, André Breton, etc.

Page 165. A gauche

Yves Tanguy : Fonds de mer (1927).

A droite

A. Masson : Jeunes filles dans une basse-cour (1947) A l'opposé du cubisme, A. Masson, dans un esprit symboliste et surréaliste, situe chaque détail dans le mystère du Temps et de l'Espace, mystère qu'il ressent comme cruel et souvent inquiétant.

Les idéologies — fascistes et communistes — *s'opposent* avec une âpreté que renforcent les crises économique, politique et morale. La seconde guerre mondiale éclate qui, plus que la première, doit décider d'une certaine conception de l'homme : l'écrivain, comme le citoyen, est obligé de « choisir », de lutter, de se faire comprendre. Le surréalisme lui-même doit devenir plus intelligible.

Les arts

La musique s'exprime, avec Olivier Messiaen, André Jolivet, et tant d'autres, dans un langage toujours plus hardi et qui emprunte nombre de ses éléments aux musiques non occidentales. En peinture les créateurs du début du siècle — fau-

Le groupe de Six (1952) : Darius Milhaud, Georges Auric, Honegger, Germaine Taillefer, Francis Poulenc, Durey. Au piano Jean Cocteau.

vistes, cubistes — se renouvellent constamment. De nouveaux artistes — peintres, sculpteurs, architectes — apparaissent, qui assimilent eux aussi *l'humanisme des civilisations lointaines ou disparues* ou mettent l'accent sur *la tradition française*. Sans prétendre ici les classer, citons seulement, parmi les peintres, Rouault (1871-1958), le grand chrétien qui rejoint l'inspiration des anonymes du moyen âge, Fernand Léger (1841-1957) dont l'art, à l'opposé de celui de Rouault, donne vie aux objets de la civilisation industrielle. Et entre ces deux extrêmes, chacun avec son esthétique propre, André Lhote, de la Fresnaye, Villon, Gleizes, Delaunay, Estève, Manessier, etc. et les surréalistes Masson, Miro, Tanguy. Parmi les sculpteurs, même éventail depuis la pureté classique de Maillol et de Despiau, etc. jusqu'aux hardiesses de H. Laurens et H.-G. Adam. Un architecte comme Le Corbusier essaie d'unir en une synthèse nouvelle les exigences du beau et de l'utile.

En littérature, suivant la voie tracée par Malraux (dont nous reparlerons longuement, voir page 181), Albert Camus, Sartre, Simone de Beauvoir projettent leur philosophie dans leurs romans et dans leurs pièces de théâtre. Ils montrent l'homme en proie à *l'angoisse*, obligé de prendre conscience de sa *liberté*. Mais cette liberté, comment savoir la façon de l'utiliser? Comme le moyen âge avait été une « Quête du Graal »

La littérature

165

— une recherche du salut par la foi — il semble que l'Heure actuelle de la civilisation française puisse se caractériser comme une « Quête de l'Homme ». Cet *homme universel* célébré par la Renaissance, *existe-t-il* et *quel est-il ?* Selon quelques partisans d'une des formes les plus récentes du structuralisme, aujourd'hui l'homme est mort, ou il est plus agi (par le langage et les autres structures mentales des hommes) qu'agissant et créateur.

DEUX RÉPONSES CONVERGENTES

Impossible d'entrer ici dans le détail des réponses apportées par chacun. Espérons donc ne pas nous tromper en retenant deux hommes, à la fois penseurs et hommes d'action, dans lesquels les jeunes générations de la civilisation française ont généralement reconnu deux maîtres : Antoine de Saint-Exupéry et André Malraux. Ils ne sont certes pas les seuls ni les préférés de tous mais à leur façon, ces deux hommes ont choisi, après avoir subi l'angoisse de la question que la civilisation française pose aujourd'hui, avec une insistance peut-être unique au monde : Sur quoi fonder l'homme ?

SAINT-EXUPÉRY

Né en 1900 dans une famille traditionnellement catholique, Saint-Exupéry, passionné dès l'enfance pour la technique et l'esthétique, décide finalement de devenir aviateur. A l'époque héroïque des débuts de l'aviation, il connaît l'Afrique du Nord, l'Amérique du Sud, puis fait des reportages à Moscou, en Espagne pendant la guerre civile. La grande guerre le conduit aux Etats-Unis d'où il revient en Afrique du Nord pour mourir, tué comme Péguy, au service de sa patrie.

Ci-contre

Fernand Léger : Le grand déjeuner (1921). Essai de synthèse entre l'inspiration individuelle de l'artiste et la civilisation de son temps. Mécanisation de l'homme ou humanisation de la machine ?

Page 166. A gauche

Marcel Gromaire : La Guerre (1925). Expressionnisme, soumis à l'esprit de rigueur et ennemi de l'exagération pathologique.

A droite

Roger de la Fresnaye : Usine à La Ferté-sous-Jouarre (détail).

Si l'on recherche presque statistiquement le mot-clé de l'œuvre et de la vie de Saint-Exupéry, on trouvera sans doute le mot « respect ». Saint-Exupéry se méfie en effet des propagandes, qu'elles soient de droite ou de gauche. Si, comme Péguy encore, il résume en lui les expériences si diverses de la civilisation française, ce n'est pas que tout lui soit indifférent : Saint-Exupéry sait exactement ce qu'il pense et ce qu'il veut, mais il n'entend pas imposer son opinion à qui que ce soit. Voyons sa réaction à différents moments de sa vie. En 1936 par exemple il se trouve dans Barcelone, assiégée par les troupes franquistes. Malgré sa sympathie pour les gouvernementaux, il écrit à propos d'un petit cloître de religieuses bombardé :

— *Respect de l'Homme*

Si l'on me dit « que sont ces douzaines de victimes en regard d'une population ? »... je refuse ces mesures... Non, ce n'est point la mort qui me fait horreur... mais cet oubli tout à coup monstrueux de la qualité même de l'homme. Ces justifications d'algébristes, voilà ce que je refuse... Les hommes ne se respectent plus les uns les autres.

De même, ce qui le révolte dans le nazisme, c'est que « le Naziste respecte exclusivement ce qui lui ressemble »; aussi

... voici qu'aujourd'hui le respect de l'homme, condition de notre ascension, est en péril!

Charles Despiau, Femme assise.

— *Qualité*
de l'Homme :
critère du sourire

Autant que de respect, Saint-Exupéry a parlé de la qualité de l'homme qui se traduit parfois par la qualité du sourire, seule valeur qui vaille la peine qu'on meure pour elle. Un jour il était attablé avec deux mariniers, l'un Hollandais, l'autre Allemand :

Sainte Thérèse devant les Béatitudes, par H. Navarre. D'une façon générale l'art chrétien revient à l'esprit (non au pastiche) des grands styles du passé. Il leur emprunte leurs effets de dépersonnalisation et d'intériorisation.

Celui-ci [l'Allemand] avait autrefois fui le Nazisme, poursuivi qu'il était là-bas comme communiste, ou comme trotzkyste ou comme catholique, ou comme juif (je ne me souviens plus de l'étiquette au nom de laquelle l'homme était proscrit). Mais à cet instant-là, le marinier était bien autre chose qu'une étiquette. C'est le contenu qui comptait. La pâte humaine. Il était mon ami, tout simplement. Et nous étions d'accord, entre amis. Tu étais d'accord. J'étais d'accord. Les mariniers et la servante étaient d'accord. D'accord sur quoi ? Sur le Pernod ? Sur la signification de la vie ? Sur la douceur de la journée ? Nous n'eussions pas su non plus le dire. Mais cet accord était si plein, si solidement établi en profondeur... que nous eussions volontiers accepté de fortifier ce pavillon, d'y soutenir un siège, et d'y mourir derrière des mitrailleuses pour sauver cette substance-là. Quelle substance ? C'est bien ici qu'il est difficile de s'exprimer ! Je risque de ne capturer que des reflets, non l'essentiel... Je serai obscur si je prétends que nous aurions aisément combattu pour sauver une certaine qualité du sourire du marinier, et de ton sourire et de mon sourire, et du sourire de la servante, un certain miracle de ce soleil qui s'était donné tant de mal depuis tant de millions d'années pour aboutir à travers nous à la qualité d'un sourire qui était assez bien réussi. L'essentiel, le plus souvent, n'a pas de poids... Un sourire est souvent l'essentiel... Et la qualité d'un sourire peut faire que l'on meure.

— *Bonheur, différent*
du confort

Après une telle page, on comprend mieux le scepticisme de Saint-Exupéry à l'égard des faiseurs de système, des naïfs qui

identifient le bonheur avec « l'élévation du niveau de vie » et
« le progrès social » ou ceux qui confondent la vérité avec la
connaissance de faits et de chiffres. Il écrit dans son carnet
intime :

Vous m'offrez un plus bel immeuble, une meilleure voiture, un air
plus pur. Mais quel homme pour l'habiter ?

Quel homme, capable d'un sourire « d'une certaine qualité »
qui révèle qu'une découverte a été faite, que l'essentiel (si
difficile à définir) a été atteint ?

Dans son *Petit Prince* connu de tous, Saint-Exupéry a supé-
rieurement résumé son expérience et sa pensée en décrivant
la rencontre du Petit Prince (image de l'homme idéal) et
du renard. Ce Petit Prince, tombé d'une planète inconnue,
rencontre un renard :

*Une belle
histoire :
que signifie
« apprivoiser » ?*

Bonjour, dit le renard. — Bonjour, répondit poliment le petit prince... — Je suis un renard, dit le renard. — Viens jouer avec moi, lui
proposa le petit prince... — Je ne puis pas jouer avec toi, dit le renard,
je ne suis pas apprivoisé. — Ah pardon, fit le petit prince. Mais,
après réflexion, il ajouta : Qu'est-ce que signifie « apprivoiser » ?

Le renard ne répond pas tout de suite : la question est
dangereuse, et pour comprendre la réponse il faut vraiment
l'avoir désirée. Mais le petit prince répète plusieurs fois :

Le petit prince et le renard, dessin d'Antoine de Saint-Exupéry.

Qu'est-ce que signifie « apprivoiser » ?

C'est une chose trop oubliée, dit le renard. Cela signifie créer des liens... — Créer des liens? — Bien sûr, dit le renard. Tu n'es encore pour moi qu'un petit garçon tout semblable à cent mille petits garçons. Et je n'ai pas besoin de toi. Et tu n'as pas besoin de moi ... Mais si tu m'apprivoises, nous aurons besoin l'un de l'autre. Tu seras pour moi unique au monde. Je serai pour toi unique au monde... S'il te plaît, apprivoise-moi, dit le renard. — Je veux bien, répondit le petit prince, mais je n'ai pas beaucoup de temps. J'ai des amis

Antoine de Saint-Exupéry, l'un des principaux défenseurs des valeurs traditionnelles. Il proclame la nécessité de rester fidèle, sinon à leur formulation, du moins à leur esprit.

Maria Blanchard (1881-1932) : L'enfant à la glace. Peintre de l'enfance, d'une enfance à la fois apaisée et douloureuse, M. Blanchard traduit dans ses toiles son « sentiment de la grandeur et du tragique quotidiens » (R. Cogniat).

à découvrir et beaucoup de choses à connaître. — On ne connaît bien que les choses qu'on apprivoise, dit le renard. Les hommes n'ont plus le temps de rien connaître... Si tu veux un ami, apprivoise-moi! — Que faut-il faire, dit le petit prince. — Il faut être très patient, répondit le renard. Tu t'asseoiras d'abord un peu loin de moi, comme ça dans l'herbe. Je te regarderai du coin de l'œil et tu ne diras rien. Le langage est source de malentendu. Mais chaque jour tu pourras t'asseoir un peu plus près...

Puis, le renard lui dit de revenir à certaines heures fixes ; c'est là un rite, un cérémonial, et les hommes ont trop oublié la valeur du rite (de la tradition). Enfin, au moment de la séparation, le renard confie son secret :

Bernard Buffet, Les Goncourt reçoivent (1956).

Marcel Proust (1871-1922).

HUMANISME —
SACRIFICE

Adieu, dit le renard. Voici mon secret. Il est très simple : on ne voit bien qu'avec le cœur. L'essentiel est invisible pour les yeux ...
— Les hommes ont oublié cette vérité, dit le renard. Mais tu ne dois pas l'oublier. Tu deviens responsable pour toujours de ce que tu as apprivoisé...

« Apprivoiser », mot suprême qui résume tout l'humanisme de Saint-Exupéry, qui résume aussi l'essentiel — invisible aux yeux — de la civilisation française. Apprivoiser n'est pas dompter; apprivoiser suppose *deux libertés qui se respectent.* Le sourire « d'une certaine qualité » n'est rien d'autre que le signe visible d'un contact humain qui, au-delà des divergences d'opinion, s'est établi en profondeur. Autour de ce mot gravitent les autres : respect, sourire, cérémonial, rite, temps perdu (ou gagné!), sens du mystère, rôle du cœur. Pascal, en Saint-Exupéry, se réconcilie avec Voltaire.

Finalement la valeur suprême, celle sur laquelle on peut fonder l'Homme, sera pour lui le sacrifice, source de communion profonde, donc bonheur :

C'est par la voie du sacrifice gratuit que les hommes communiquent les uns avec les autres... Le petit bourgeois français démocrate est terriblement seul.

Sa tradition chrétienne lui permet d'écrire un jour :

Je comprends pour la première fois l'un des mystères de la religion dont est sortie la civilisation que je revendique pour mienne : « Porter les péchés des hommes ». Et chacun porte les péchés de tous les hommes.

172

Rarement on a exprimé aussi nettement que dans les lignes suivantes la nature originale du patriotisme français, si souvent devenu conscient dans les siècles passés de son caractère universel et spiritualiste.

... si je défends ma patrie, c'est en tant qu'elle représente une civilisation, des concepts, un langage, un certain type d'homme. La commune mesure de ces hommes n'est point... la sonorité d'un vocabulaire — Provençaux et Bretons sont Français.
Mais si ma patrie se divise, il est possible que je me découvre plus voisin d'un étranger fondé par la même religion, la même morale, les mêmes valeurs, que d'un Français qui n'aurait plus rien de commun avec moi que la sonorité d'un langage dont le contenu même aurait changé. Ce stupide patriotisme du XXe siècle n'est plus que du mauvais esprit d'équipe. Il coïncide avec l'enthousiasme d'une équipe fondée sur la seule couleur du maillot et négligeant les parentés vraies. (*Carnets*)

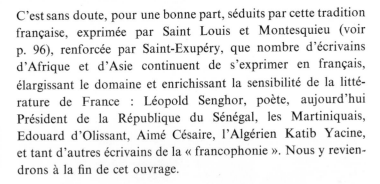

Georges Bernanos (1883-1948)

C'est sans doute, pour une bonne part, séduits par cette tradition française, exprimée par Saint Louis et Montesquieu (voir p. 96), renforcée par Saint-Exupéry, que nombre d'écrivains d'Afrique et d'Asie continuent de s'exprimer en français, élargissant le domaine et enrichissant la sensibilité de la littérature de France : Léopold Senghor, poète, aujourd'hui Président de la République du Sénégal, les Martiniquais, Edouard d'Olissant, Aimé Césaire, l'Algérien Katib Yacine, et tant d'autres écrivains de la « francophonie ». Nous y reviendrons à la fin de cet ouvrage.

Civilisation française : un certain type d'homme

Raoul Dufy : Côte d'Azur. Comme Matisse, Dufy est un peintre de la joie. Il recherche « le miracle de l'imagination traduite dans le dessin et la couleur. »

173

Alfred Manessier (né en 1911) : Pour la fête du Christ-Roi (1952). A la différence de Rouault (voir page 162), Manessier rompt avec la tradition figurative et cherche des moyens d'expression radicalement nouveaux. L'art moderne s'oriente vers une métamorphose qui se veut liée à une nouvelle forme d'Humanisme. Les artistes rivalisent avec les grands arts de toutes les civilisations, qui les aident « à préciser l'énigme fondamentale : l'homme » (A. Malraux).

XIV
LA QUÊTE DE L'HOMME

APRÈS 1918

Dans le sens de la Découverte

Valeur de l'homme, qualité de l'homme, sacrifice — ces préoccupations fondamentales de Saint-Exupéry se retrouvent chez un homme d'action et un écrivain, tout différent par le tempérament et la culture : André Malraux. Malraux fait dire à un personnage d'un de ses romans :

PARENTÉ DE MALRAUX ET DE SAINT-EXUPÉRY

Écrivain, par quoi suis-je obsédé depuis dix ans, sinon par l'homme ?

Porte-parole de Malraux également, ce vieux professeur qui, pendant la guerre civile d'Espagne, invite ses disciples à combattre toujours pour maintenir ce qu'il leur a enseigné :

— C'est-à-dire ? demanda (le disciple).
Le vieillard se retourna, et il dit, du ton dont il eût dit : hélas!
— La qualité de l'homme.

De plus en plus, Malraux se rendra compte que la vraie valeur est le « sacrifice » et qu'elle s'obtient par ce qu'il appelle « la fraternité virile » :

Les hommes unis à la fois par l'espoir et par l'action accèdent, comme les hommes unis par l'amour, à des domaines auxquels ils n'accéderaient pas seuls. L'ensemble de cette escadrille est plus noble que presque tous ceux qui la composent.

Henri Laurens (1885-1954) : L'Espagnole (1939). Comparer avec l'esthétique de Maillol (page 163) et de Despiau (page 167).

Mais si Saint-Exupéry s'est consciemment et de plus en plus enraciné dans sa tradition chrétienne et française, Malraux a commencé par vouloir tout bouleverser, dans la littérature comme dans la société. Il s'intéresse simultanément à l'art et à l'action. Dès 1926 — il a alors 25 ans — il imagine un monde nouveau, violent, exotique dans lequel il se lance en aventurier.

DIFFÉRENCES ENTRE MALRAUX ET SAINT-EXUPÉRY

MALRAUX

— *Art et action*

en homme avide de laisser de lui une « cicatrice » sur la terre, d'accomplir une œuvre (par exemple une révolution) qui d'une certaine manière l'éternisera. De tous ses romans, *La Condition Humaine* (1933) est demeuré le chef-d'œuvre. Il constitue une magnifique synthèse de l'attitude pascalienne et des préoccupations sociales du naturalisme. Comme Pascal, Malraux s'intéresse passionnément à ce qui constitue « la dignité de l'homme », à sa « condition » qui le force à *choisir*, à donner *un sens* à sa vie. Comme Zola, il fait entrer dans son œuvre les grands événements de son époque et toute la complexité de la *question sociale*. Mais, à la différence de Zola, Malraux ne conçoit pas l'homme comme déterminé par ce milieu; l'individu peut certes partager la mentalité de son temps, participer à sa civilisation, mais, au moins chez les meilleurs, c'est en vertu d'un choix *libre*. Depuis la guerre Malraux s'est détourné d'une attitude communisante pour se rallier au général de Gaulle. Aujourd'hui, il prétend voir plus loin que les intérêts immédiats et défendre ce qu'il appelle « l'humanisme atlantique ». Du roman il a passé à des études d'art, touffues certes et souvent difficiles, mais d'une indéniable originalité [1].

— Le chef-d'œuvre

— Attitude pascalienne...

... et sens social

Influence de Malraux

Si je rappelle ces quelques données biographiques et l'esprit de son œuvre principale, ce n'est pas d'abord pour porter un jugement sur la personnalité de Malraux ou sur ses idées politiques. Il s'agit seulement de comprendre pourquoi cette personnalité a pu attirer une grande partie de la jeunesse, impatiente de nouveauté et que la révolution n'effrayait point. Malraux en effet a pris part aux grands conflits du siècle : révolutions d'Indochine et de Chine, guerre d'Espagne, Libération, puis luttes politiques du jour. Malraux ne se vante donc pas quand il prétend faire non de la politique mais de l'histoire, car l'histoire, pour lui, n'est pas un jeu de forces fatales et aveugles : l'homme y manifeste sa volonté d'éternité et sa liberté.

Texte-témoin

Dans le texte-témoin qui va suivre, Malraux propose une idée qu'il nuancera plus tard dans ses études de critique d'art : l'opposition des mentalités orientale et occidentale, et le sens différent que ces deux groupes de civilisations donnent à

---

[1] Voir quelques-uns de ses jugements, pages 22, 109, 153, 177, etc.

176

l'art et au monde. Selon Malraux, l'Oriental — avant les contacts répétés avec l'Occident — contemple le monde et les chefs-d'œuvre de l'art *pour se fondre dans leur sérénité* et s'y oublier. L'Occidental, lui, utilise plutôt ce monde réel ou artistique pour *s'exprimer à travers lui*, s'y retrouver, lui imposer sa marque individuelle. L'affirmation est sans doute très générale et Malraux lui-même la nuance. Nous admirerons pourtant avec quelle vigueur Malraux, dans cette page de

177

Robert Delaunay (1885-1941) : Air, fer et eau (1937). Exaltation de la puissance et du rythme de la technique moderne. Delaunay est un des pionniers de l'art abstrait. Après une période de cubisme prismatique, il fit en 1917 l'un des premiers tableaux non figuratifs exécutés en France et son esthétique fut baptisée l'orphisme.

La Condition Humaine, fait progresser le dialogue pour forcer l'interlocuteur à prendre conscience de ce qu'implique sa vision de l'existence.

Un professeur chinois, Gisors, reçoit un peintre japonais Kama et un Européen original, amateur d'art, le baron Clappique, venu pour acheter quelques lavis de Kama (signalons que Clappique sait sa vie menacée et se sent inquiet) :

Clappique s'approcha, regarda les lavis épars sur le divan. Bien qu'assez fin pour ne pas juger de l'art japonais traditionnel en fonction de ses rapports avec Cézanne ou Picasso, il le détestait aujourd'hui : le goût de la sérénité est faible chez les hommes traqués.
— Pourquoi peignez-vous, Kama-San...
Le disciple laissa le croquis, traduisit, répondit :
— Le maître dit : d'abord pour ma femme, parce que je l'aime...
— Je ne dis pas pour qui, mais pour quoi ?
— Le maître dit qu'il est difficile de vous expliquer. Il dit : Quand je suis allé en Europe, j'ai vu les musées. Plus vos peintres font des pommes, et mêmes des lignes qui ne représentent pas des choses, plus ils parlent d'eux. Pour moi, c'est le monde qui compte...
— Minute! dit le baron, un œil ouvert, l'autre fermé, l'index pointé. Si un médecin vous disait : « Vous êtes atteint d'une maladie incurable, et vous mourrez dans trois mois », peindriez-vous encore ?
— Le maître dit que s'il savait qu'il va mourir, il pense qu'il peindrait mieux, mais pas autrement.
— Pourquoi mieux, demanda Gisors.
... Kama répondit. Gisors traduisit lui-même :
— Il dit : « Il y a deux sourires — celui de ma femme et celui de ma fille — dont je penserais alors que je ne les verrais plus jamais; et j'aimerais davantage la tristesse. Le monde est comme les caractères de notre écriture. Ce que le signe est à la fleur, la fleur elle-même, celle-ci (il montra l'un des lavis) l'est à quelque chose. Tout est signe. Aller du signe à la chose signifiée, c'est approfondir le monde, c'est

Marcel Duchamp (né en 1887) : Le cœur volant (1935). Duchamp a d'abord travaillé dans l'esprit du surréalisme et du dadaïsme. Il s'est aussi appliqué à l'étude du mouvement, par exemple dans ces rotoreliefs, sorte de disques visuels.

aller vers Dieu... Il pense que l'approche de la mort lui permettrait peut-être de mettre en toutes choses assez de ferveur, de tristesse, pour que toutes les formes qu'il peindrait devinssent des signes compréhensibles, pour que ce qu'elles signifient — ce qu'elles cachent aussi — se révélât... »

Clappique éprouvait la sensation atroce de souffrir en face d'un être qui nie la douleur.

Henri Michaux, Dessin mescalinien (1955).

Gisors insiste et demande à Kama ce qu'il ferait si le médecin condamnait sa femme.

— Le maître dit qu'il ne croirait pas le médecin...
— Et si elle était morte?...
— On peut communier même avec la mort... C'est le plus difficile, mais peut-être est-ce le sens de la vie...

Pour Malraux, en effet, ce n'est pas la souffrance en elle-même qui est le plus pénible, c'est de n'avoir aucun sens à lui donner. Ce texte, extrait d'un roman de Malraux, nous conduit à ce qui, par la suite, va absorber toute son activité : l'étude des civilisations telles qu'elles nous apparaissent dans leurs arts. Malraux cherche à préciser la manière dont chaque civilisation a *réagi contre l'apparence* en créant un monde artistique supérieur à cette apparence (rappelons-nous son interprétation de l'art roman, de l'art gothique et de l'esthétique de la Renaissance — voir page 22). Ainsi s'annonce pour Malraux

MALRAUX ET L'HUMANISME

Jacques Villon (né en 1875) : Mon âme est une infante (1948). « J'extrais du sujet les rythmes et les volumes comme on extrait un diamant de sa gangue » (Villon). L'artiste emploie aussi les couleurs les plus exquises, aussi bien dans le figuratif que dans l'abstrait. Art d'équilibre et de suggestion.

179

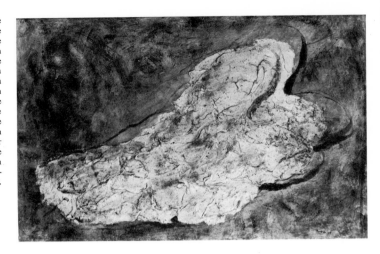

Jean Fautrier : La Juive (1943-45). « Parce que chaque toile est faite de « ce qui reste », il y a un monde de Fautrier, monde purement plastique, où le sujet ne compte pas, où les moyens de suggestion sont aussi éloignés de ceux de la pensée que ceux de la musique. Ce n'est pas parce qu'il a un « matériel » que Fautrier a un monde, c'est parce qu'il a un œil, une vision tragique. » (André Malraux, la Nouv. Rev. Franç., février 1933).

— *Humanisme universel*

« le premier humanisme universel ». Humanisme fidèle à celui de la Grèce :

> Il suffit de regarder n'importe quel chef-d'œuvre grec pour voir que, si triomphant qu'il soit du sacré oriental, il fonde son triomphe, non sur la raison, mais sur « le sourire innombrable des flots ». Le grondement déjà lointain de la foudre antique orchestre sans la couvrir l'immortelle évidence d'Antigone : « Je ne suis pas née pour partager la haine, mais pour partager l'amour. » L'art grec n'est pas un art de solitude, mais celui d'une communion avec le cosmos...
>
> *(Les Voix du Silence)*

Pour notre civilisation du XXe siècle — qui n'a plus l'unité que possédaient le monde grec, le monde égyptien ou le monde gothique — la communion se fera avec toutes les formes de grandeur de l'expérience humaine :

> La culture est l'ensemble de toutes les formes d'art, d'amour et de pensée qui, au cours des millénaires, ont permis à l'homme d'être *moins esclave*.

Francis Gruber (1912-1948) : Job. Dépouillé de tout, le Job moderne — et légèrement expressionniste — s'obstine à conserver la foi — toute intérieure — en une harmonie secrète.

— *Humanisme occidental*

Cette « quête de l'homme », c'est l'Occident qui la mènera avec la suprême liberté de la Grèce et sans laisser perdre sa leçon. A quoi aboutira-t-elle ? Quelles formes prendra le nouvel humanisme ? Personne ne peut le prévoir :

180

Pour que pût naître le dialogue du Christ et de Platon, il fallait que naquît Montaigne. Or, notre résurrection n'est pas au service d'un humanisme préconçu; comme Montaigne, elle appelle un humanisme pas encore conçu.

Au témoignage de Malraux il faut ajouter celui de Saint-John Perse, plus universel encore que les écrivains Eluard ou Aragon. Ce poète interroge lui aussi les civilisations disparues et dans son « exil » communie avec tout homme qui a su unir action et contemplation, avec le « prince de l'exil », quel qu'il soit,

qui vêt la robe de poète entre deux grandes actions viriles.

Nouvelle affirmation de l'humanisme moderne français : l'action ne doit pas se séparer de la pensée, et celle-ci est solidaire de tout le passé humain comme de tout ce qui, dans le monde moderne, est désintéressement et souci de l'Esprit. C'est le même idéal que Malraux, en langage familier, exposait à un ami qui lui demandait quelle formation il voulait donner aux jeunes Français : « Des bouquins [= des livres] — et du parachutage! », formule qui symbolise l'alliance du courage et de l'intelligence.

Quel sera demain le sort de la civilisation française? Sera-t-elle écrasée, comme jadis Athènes, entre des grands blocs dont les traditions culturelles sont parfois si différentes des

Jean Dewasne (né en 1921) : « L'Astre à faces, où vous pourrez trouver des rapports à la fois avec la musique sérielle et le traité de composition musicale d'Olivier Messiaen » (Jean Dewasne 1958).

181

siennes? Pour Malraux, le problème se pose à l'Europe tout entière. Or, le drame de l'Europe est qu'elle perd confiance en elle-même. Il faut pourtant sauver l'Europe parce que

l'Europe présente est la valeur intellectuelle la plus haute du monde. Pour le savoir, il suffit de la supposer morte.

Cette Europe, pour lui, ne doit cependant pas être un nivellement :

Pour le meilleur comme pour le pire, nous sommes liés à la patrie et nous savons que nous ne ferons pas l'Européen sans elle.

Malraux proteste donc contre les Européens qui se laissent décourager et croient plus à la fatalité de l'histoire qu'à la puissance de la liberté. Il ferait sans doute sienne cette parole du poète René Char :

Juxtapose à la fatalité la résistance à la fatalité

et prendrait comme lui espoir en constatant :

Cependant à la poursuite de la vie qui ne peut être encore imaginée, il y a des volontés qui frémissent, des murmures qui vont s'affronter et des enfants sains et saufs qui *découvrent*.

ÉVOLUTION
DES IDÉES

a) *Existentialime*

La nouvelle sensibilité, bientôt nommée existentialiste, faite d'angoisse et accompagnée du sens de la liberté et de la responsabilité, avait été admirablement dépeinte par A. Mal-

Le Corbusier : Église de Ronchamp. Selon Le Corbusier, l'architecture, partout et toujours, doit être à la mesure de l'homme et de ses besoins tant matériels que spirituels. Le nouveau style adopte volontiers les formes géométriques simples; elles s'intègrent à l'environnement soit urbain, soit du paysage et avouent franchement leur matériau (le béton coulé). Toute distinction artificielle entre le fonctionnel et l'esthétique est niée.

Le nouveau siège de l'Unesco, l'édifice le plus international de Paris, a été inauguré en 1958. Œuvre conçue en collaboration avec Le Corbusier. La céramique est due à Antegast et à Miro.

raux, entre autres, en 1936, dans *La Condition Humaine*. Elle est peu après, en 1943, doublée d'une justification théorique par *L'Etre et le Néant* de Jean-Paul Sartre. Comme sa doctrine veut être non point une déduction a priori mais une explicitation, un dévoilement de l'expérience individuelle la plus intime, J.-P. Sartre accompagne sa réflexion philosophique d'un nombre imposant d'ouvrages littéraires. Dans le genre du roman, *La Nausée, le Mur, les Chemins de la Liberté*, etc.; au théâtre, *Les Mouches, Huis clos, Les Mains sales, les Séquestrés d'Altona*, etc.

Pour J.-P. Sartre, « l'existence précède l'essence », c.-à-d. que l'homme ne se définit et n'est (essence) que par ce qu'il décide d'être (existence); il est condamné à la liberté (la refuser, c'est encore opter). Plongé dans une situation, dans un monde qu'il n'a pas créé, il lui appartient de l'accepter passivement ou de le refuser ou de le modifier. Responsable de lui-même, il l'est donc également d'autrui.

Des prémisses existentialistes ainsi posées par J.-P. Sartre, il est évidemment possible de tirer diverses conclusions pratiques : J.-P. Sartre, malgré son anti-matérialisme, s'engage dans une ligne politique proche du marxisme. Un Emmanuel Mounier (1905-1950), non moins engagé, propose un « personnalisme » qui veut concilier l'engagement politique et le maintien des valeurs chrétiennes. Moins politique et plus purement analyste, Gabriel Marcel débouche, lui aussi, vers un spiritualisme traditionnel. Très proche de J.-P. Sartre, Simone de Beauvoir

Jean-Paul Sartre (né en 1905).

183

Albert Camus (1913-1960).

lutte également pour son idéal de libération de l'homme par les écrits théoriques comme par le roman ou le théâtre. Camus, (1913-1960), ami de J.-P.Sartre, se sépare de lui par fidélité à un idéal tout méditerranéen de la mesure qu'il propose et défend dans d'admirables romans (*L'Étranger*, *La Peste*), au théâtre (*Caligula*, *Les Justes*, etc.) et par des essais (*Le Mythe de Sisyphe*, *l'Homme révolté*). Le respect de la vie humaine qui anime toute l'œuvre de Camus lui interdit des options politiques qui, pour un avenir incertain, entraîneraient des privations excessives de liberté ou, pis que tout, la mort d'autrui.

Cette mentalité existentialiste imprègne bon nombre d'œuvres littéraires des deux décennies qui suivent la seconde guerre mondiale. Citons seulement, pour le théâtre, les noms d'Eugène Ionesco et de Samuel Beckett. Le premier débute en 1950 avec *la Cantatrice chauve*, et Beckett, en 1953, avec *En attendant Godot*. Pour Ionesco, les œuvres, qu'il appelle « anti-pièces », « drames comiques », « farces tragiques » caricaturent et font éclater l'inauthenticité du langage quotidien. Le public rit, mais, riant, il perçoit le vide de son existence, il le perçoit jusqu'à l'angoisse. Ionesco donc est foncièrement optimiste, il croit à la possibilité d'une communication intime entre les

Pavillon français à l'Exposition internationale de Bruxelles. Guillaume Gillet l'a couvert d'un réseau cablé tendu en selle de cheval.

êtres, pourvu, précisément, qu'ils se dégagent du langage tout fait. Plus désespéré est le théâtre de Beckett : on attend Godot, un absolu (quel qu'il soit) que l'on annonce sans cesse pour bientôt mais qui n'arrive jamais; ses personnages se dissolvent dans l'instant, dans le sordide, dans l'inorganique.

Dans l'œuvre d'autres écrivains ou auteurs dramatiques on perçoit plus ou moins marqués les mêmes mouvements d'angoisse, un certain pessimisme, ainsi chez Jean Anouilh ou Salacrou, tandis que d'autres, souvent plus âgés, continuent la grande tradition classique, chacun, bien entendu, selon ses idées propres, tels Montherlant ou Claudel.

Pivot central sur lequel repose presque tout le pavillon français à Bruxelles.

b) *Vision cosmique*

Dans ce climat d'individualisme philosophique, certains esprits pourtant se tournent vers une autre vision de l'homme, plus directement inspirée par la science et par le resserrement des relations entre les hommes. Les écrits, le plus souvent posthumes, du Père Teilhard de Chardin, paléontologue, philosophe et théologien, suscitent un prodigieux intérêt même dans les milieux d'incroyants. Les lignes suivantes sur la Planétisation humaine donneront une idée de sa vision, essentiellement optimiste et communautaire, de l'humanité :

« Au sein du « magma » pensant a récemment surgi une nouvelle substance, — un nouvel élément, non encore catalogué, mais d'une importance suprême : l'*Homo progressivus*, pourrait-on l'appeler, c'est-à-dire l'Homme pour qui l'avenir terrestre compte plus que le présent. Nouveau type d'Homme, je dis bien, puisque, il y a moins de deux cents ans, l'idée même d'une transformation organique du Monde dans le Temps n'avait pas encore pris forme ni consistance dans l'esprit humain (...)
En premier lieu, les points figuratifs du nouveau type humain se montrent un peu partout sur la face pensante de la Terre. Plus densément représentés à l'intérieur de la race blanche et au voisinage des classes sociales inférieures, ils apparaissent, au moins sporadiquement, dans chacun des compartiments en lesquels se divise l'espèce humaine. Leur apparition correspond clairement à quelque phénomène d'ordre noosphérique [1].
En deuxième lieu, une attraction évidente tend à rapprocher les uns des autres ces éléments disséminés, et à les faire se souder entre eux. Prenez, dans une assemblée quelconque, deux hommes doués du mystérieux sens de l'Avenir auquel j'ai fait allusion. Dans la foule ils iront droit l'un à l'autre, et se reconnaîtront.
Or ce troisième caractère, le plus notable de tous, cette rencontre et ce groupement ne se limitent pas à des éléments de même catégorie et de même provenance, c'est-à-dire choisis à l'intérieur d'un même compartiment de la Noosphère. A la force d'attraction dont je parle aucune cloison raciale, sociale ou religieuse ne semble imper-

Teilhard de Chardin (1881-1955).

---

[1] En grec, nous-noos, signifie intelligence.

185

méable. J'en ai fait cent fois, et tout le monde peut, l'expérience. Quels que soient le pays, le Credo ou le niveau social de celui que j'aborde, mais pour peu qu'en lui comme en moi couve un même feu de l'Attente, c'est un contact profond, définitif et total qui s'établit instantanément. Peu importe que, par éducation ou instruction, se formulent différemment nos espérances. Nous nous sentons de même espèce; et dès lors nous constatons que nos antagonismes mêmes nous appareillent : comme s'il existait une certaine dimension vitale où — non seulement dans un corps mais dans un cœur à cœur — tout effort rapproche (...)

Un total et peut-être définitif clivage de l'Humanité, non plus sur le plan de la richesse, mais sur la foi au progrès, voilà donc le grand phénomène auquel nous assistons »

(*L'Avenir de l'homme*, p. 172)

c) *Les Structuralismes*

A cette vision réaliste de l'homme — et qui se veut scientifique bien qu'elle débouche sur l'union finale de tous les hommes en Dieu — s'en juxtapose aujourd'hui une autre, mal définie, mais puissante et aux multiples formes que l'on groupe généralement sous le terme commun de « structuralisme ».

Pendant et après la deuxième guerre mondiale, la mentalité dominante, celle qui imprégnait tant la pensée philosophique que la littérature et les arts, était celle qui, se concentrant sur l'individu, le décrivait solitaire, angoissé, obligé de prendre conscience de son irréductible liberté.

Depuis 1960 environ l'accent s'est déplacé. Plus que l'autonomie individuelle, les chercheurs de toutes les disciplines autant que les artistes constatent, en tout domaine — langage, sociétés, institutions, œuvres littéraires et artistiques — la présence et l'action de structures relativement ou — selon certains — totalement déterminantes. Ce n'est plus tant l'individu qui constitue le langage, les sciences, les arts, mais bien plutôt le langage qui se parle à travers les individus; chaque langue (grec, français, chinois) ou chaque conception du langage (au XVIᵉ, au XVIIᵉ, au XXᵉ s.) déterminerait le mode de perception et d'organisation du réel.

Sous l'influence des nouvelles tendances de la linguistique dite structurale de Saussure et de ses disciples, sous l'influence aussi des analyses de l'anthropologue français Levi-Strauss, la pensée philosophique et la critique littéraire surtout évoluent.

Le penseur le plus vigoureux de la nouvelle philosophie est peut-être Michel Foucault dont l'ouvrage « *Les Mots et les*

Michel Foucault (né en 1928).

186

Choses » (1966) a fait époque. D'autres penseurs, appelés aussi structuralistes, appliquent la nouvelle méthode à des doctrines déjà connues, tels Althuser à Marx, Lacan à Freud. La « nouvelle critique » littéraire participe de cet esprit. Même si ses représentants s'opposent parfois violemment, ils partagent, semble-t-il, deux convictions fondamentales :

1) L'écrivain ne dit pas exactement ou complètement ce qu'il veut dire. Derrière le sens direct d'un énoncé, d'un roman, d'une pièce, de toute une œuvre, il y a une signification, une visée que le critique doit dégager et qui était inconnue de l'écrivain lui-même.

2) La méthode à utiliser pour rejoindre cette visée ne peut être que structurale, car, comme le dit l'un des « nouveaux critiques », J. Starobinski, « toute conscience est structurante ». La biographie, la recherche des sources, etc., si chères à l'ancienne critique, devraient donc être reléguées au second plan. C'est ainsi que Roland Barthes, dans son livre *Sur Racine* (1965), ne s'occupe pas de Racine mais du héros racinien; c'est, dit-il,

« une analyse volontairement close (...) sans aucune référence à une source de ce monde (issue par exemple de l'histoire ou de la biographie) ».

R. Barthes commence donc par repérer le retour de certains thèmes, de certaines situations, de certaines relations-types, à travers toutes les pièces. Ensuite, il replonge chacun des exemples relevés dans l'analyse de chaque tragédie prise isolément.

Méthode légitime certes et féconde, si elle est menée avec rigueur, mais qui, loin d'exclure, suppose souvent les recherches traditionnelles. Elle varie évidemment selon les critiques : Charles Mauron insiste davantage sur la relation œuvre-auteur, expliquant par la psychanalyse certaines constantes de l'œuvre et fait ce qu'il appelle de la psycho-critique. Lucien Goldmann retrouve l'au-delà de l'écrit non tant dans l'inconscient individuel que dans les courants de pensée contemporains; pour lui l'œuvre se définit comme le « maximum de conscience » d'une période donnée, comme une cristallisation de la vision du monde dominante. Il définit sa méthode comme structura-

Germaine Richier : Spirale, laquelle n'est en fait que l'agrandissement de l'intérieur d'un coquillage. Maints artistes aujourd'hui peintres, sculpteurs, architectes (voir G. Gillet) cherchent à s'évader de la géométrie statique à la façon de Le Corbusier et lui préfèrent les formes dynamiques ou celles suggérées par la vie.

Ci-dessus. A gauche
Nicolas de Stael, Le Fort d'Antibes (1955). L'allusion à la réalité tangible métamorphose celle-ci en un « paysage mental » sobre, raffiné et vibrant.

A droite
Edouard Pignon : La grande Jetée (1959-1960). Dans un espace recréé, voire torturé, Pignon renouvelle la perspective sans omettre d'y intégrer, d'une façon ou d'une autre, l'élément humain.

liste-génétique. Sans nier la valeur des méthodes précédentes, S. Doubrovsky les déclare incomplètes ; chacune d'elle apporte un des sens de l'œuvre, mais la signification ultime ne réside que dans la visée irréductiblement individuelle de l'auteur. Doubrovsky a explicité son projet dans sa thèse consacrée à *Corneille et la dialectique du héros*, où il montre Corneille, hanté d'un bout à l'autre de sa carrière, par le souci de fonder une morale de l'héroïsme (au sens de la maîtrise de Hegel) et, après de multiples tâtonnements, reconnaissant, dans *Suréna*, l'échec de son idéal.

La question qui se pose aujourd'hui est donc de savoir s'il est possible de concilier la vision structuraliste du monde et la vision existentialiste. Bornons-nous à noter — pour terminer par où nous avons commencé — qu'André Malraux, n'est pas moins précurseur des structuralismes que de l'existentialisme, et qu'il a proposé, après de longues recherches, une réponse. On a tant souligné en effet le rôle d'initiateur de Malraux par rapport à J.-P. Sartre et à d'autres que l'on oublie souvent le second pôle, non moins important, de sa réflexion, et qui est celui des civilisations, soit entre elles, soit entre elles et les individus qui les composent. Sa *Tentation de l'Occident* (1926), sorte de *Lettres Persanes* du XXᵉ siècle, fait juger la France par un Chinois et la Chine par un Français, mais, à la différence de Montesquieu, il constate la profonde imprégnation des individus, de leur façon de peindre, d'écrire, de sentir, par la vision du monde propre à leurs civilisations respectives. La même réflexion se poursuit dans presque chacune de ses œuvres, surtout dans les dernières.

Or l'originalité de Malraux est non seulement d'avoir posé l'antithèse individu - structure mentale, mais d'en proposer une solution, dans l'une de ses formules éblouissantes dont il a le secret. Parlant de l'époque la mieux intégrée, le moyen âge gothique, Malraux se demande qui — de l'artiste ou de la société — a créé l'œuvre d'art, et il répond :

Gustave Singier : Le Quatuor (1947). L'œuvre de G. Singier allie, mais autrement qu'un Seurat, la sensibilité impressionniste à une constructivité qui, ici, évoque les recherches du cubisme.

« Nul ne pouvait *récuser* mais nul n'eût pu *prévoir* la complicité divine qu'exprime le sourire de renard affectueux ou de chatte blanche que l'atelier champennois de Reims donne à ses prophètes, à ses suivantes, à ses anges »   (*La Statuaire*, p. 44)

Nul n'eût pu récuser, car la société reconnaissait en l'œuvre de l'artiste ses valeurs originales, mais nul n'eût pu prévoir, car l'œuvre artistique est le fruit de la liberté.

Selon L. Goldmann (*Pour une sociologie du roman*), nombre d'œuvres contemporaines, tout particulièrement ce qu'on appelle « le nouveau roman », reflèteraient, dans leurs des-

Charles Lapicque : Manœuvres de nuit sur le Pimodan (1958). Improvisation apparente mais dont la légèreté et la gaieté de surface cachent une charpente logiquement conçue.

189

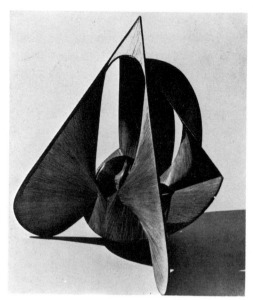

criptions, cette disparition de l'individu, cette « mort de l'homme » qu'annoncent certains structuralistes. Les romans sans intrigue nette, sans personnages distincts, sans métaphores, de Alain Robbe-Grillet, par exemple, (*Les Gommes, Le Voyeur, Le Labyrinthe*, etc.) décrivent les objets avec la minutie scrupuleuse que mettait Proust à décrire ses sensations et ses souvenirs. Il est vrai que Robbe-Grillet proteste :

« Comme il n'y avait pas, dans nos livres, de « personnages » au sens traditionnel du terme, on en a conclu, un peu hâtivement, qu'on n'y rencontrait pas d'hommes du tout. C'était bien mal les lire. L'homme y est présent à chaque page, à chaque ligne, à chaque mot. Même si l'on y trouve beaucoup d'« objets », et décrits avec minutie, il y a toujours et d'abord le regard qui les voit, la pensée qui les revoit, la passion qui les déforme ».

Certes, mais il reste que cet « homme » est relativement désindividualisé, reflet peut-être d'un type engendré — ou annihilé — par une société plus technocratique, plus impersonnelle. Citons encore Nathalie Sarraute, acharnée à repérer les manifestations subtiles de la zone subconsciente de l'homme, Michel Butor (*La Modification*) également attaché à la notation du détail des « choses » et substituant au temps des horloges celui de la conscience, Claude Simon, Philippe

190

Sollers, le plus radical de tous, répondant, au cours d'une interview :

Il n'y a pas d'œuvre, pas d'auteur, mais des textes collectifs qui passent en moi, en vous. L'individu n'a plus d'importance.

(Le Monde, 13 juillet 1968)

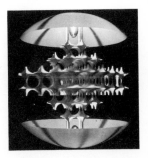

J.-P. Seissier : Boule lumineuse (1967).

Mais ce ne sont là que les pointes extrêmes d'une des tendances actuelles. Il est évidemment trop tôt pour en apprécier les chances d'avenir et l'importance relative.

Les attitudes fondamentales qui, en littérature comme en philosophie, ont inspiré l'existentialisme fondé sur l'angoisse et les structuralismes privilégiant la totalité par rapport à l'individu, se reflètent également — opposées ou harmonisées — dans les divers domaines de l'art.

La musique française, nous l'avons dit, avec O. Messiaen, Jolivet, et bien d'autres, accueille et assimile les apports orientaux et exotiques; elle exprime encore des sentiments violemment personnels, voire romantiques (sans du reste nécessairement nier la légitimité d'esthétiques différentes). Mais, en face, des musiciens atonaux et surtout « sériels », en premier lieu peut-être P. Boulez, disciple de l'Autrichien Schönberg, rédui-

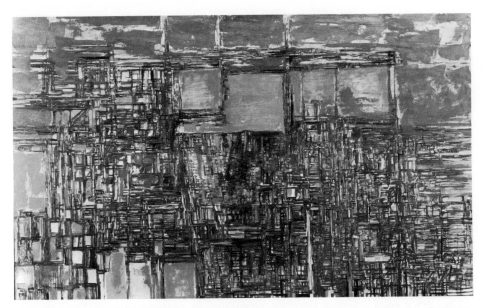

Vieira da Silva : Le Temps (1969). Univers aussi rigoureusement calculé que délicatement rêvé. A travers la multiplicité des perspectives et des harmonies colorées, l'esprit se meut, allégé, dans un espace et dans un temps libérés de toute pesanteur.

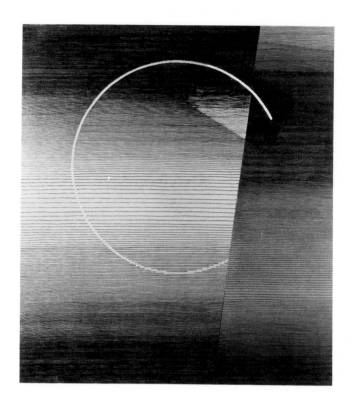

Michel Seuphor : Anna-purna II (1965). Magie d'une visée uniquement soucieuse de l'essentiel et qui, par l'absolu renonce-ment à toute anecdote, ne retient de la séduction du visible que la charge de pureté radicale qu'elle contenait, mais voilée.

Jean Arp : Outre vase (1965). Dadaïste, surréaliste, J. Arp s'est tourné vers la beauté des «choses» données, révélées dans la nature et, comme telles, douées d'une beauté vraie.

sent la part créatrice de l'individu, soumettant à tout le moins son inspiration à de minutieuses règles, édictées par la mathé-matique, arbitraires peut-être mais d'une rigueur absolue.

Les arts plastiques ne sont pas non plus demeurés étrangers à l'angoisse. Celle-ci apparaissait déjà chez quelques peintres ou sculpteurs surréalistes ou apparentés au mouvement (Yves Tanguy, André Masson, Michaux, etc.); elle atteignait un paroxysme avec les expressionnistes (les peintres Gromaire, Soutine, Buffet, le sculpteur Germaine Richier). Quelques-uns pratiquent l'anti-peinture, l'anti-sculpture, supprimant toute trace de l'humain au bénéfice du pur végétal ou de l'inorganique, par exemple le peintre J. Fautrier ou le sculpteur F. Gruber. Mais parallèlement la préférence accordée à l'univers, la soumission enthousiaste à l'objet donnent lieu à des œuvres d'une esthétique nouvelle, elle-même exigée par une « inven-tion d'inconnu » inouïe, d'un inconnu qui déborde, plus qu'il ne l'a jamais fait, l'individu et ses problèmes. Ces œuvres sug-gèrent l'énergie cosmique, la participation de tous au tout. Témoins : pendant l'occupation allemande déjà, les « Jeunes

Peintres de la Tradition française » (Bazaine, Le Moal, Lapicque, Singier, Manessier, etc.), l'œuvre de Nicolas de Stael qui évoque un univers délicatement ordonné. Témoins aussi les sculpteurs qui, rejoignant ceux des grandes époques du sacré, dépassent les conditions proprement individuelles, un M. Gimond, ou, avec une abstraction plus poussée, H. Laurens.

C'est pourtant avec Pevsner (installé à Paris en 1923) et avec son frère Naum Gabo que la géométrie la plus subtile et la poésie cosmique la plus pure apprennent à se compléter l'une par l'autre.

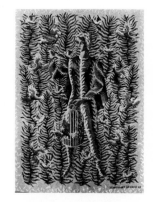

J. Picart Le Doux : L'oiseleur (1946).

Quant à l'architecture — qu'elle soit plutôt intellectuelle ou statique (à base de parallélépipèdes, de triangles, de cubes, etc.) comme celle de Le Corbusier, de H. Bernard, ou plutôt vitaliste et dynamique (courbes, spirales, ellipses) comme celle d'un G. Gillet, elle arrache l'homme à ses petits soucis pour l'intégrer à des ensembles collectifs mais qui, pour autant, ne l'oppriment pas.

Quel avenir attend la civilisation française ? Question évidemment dépourvue de sens. Le seul vœu à formuler est que cette civilisation demeure fidèle aux deux constantes de son histoire : accueil et don. Au moyen âge, nous l'avons constaté, elle a certes rayonné sur l'Europe entière, lui communiquant dans une large mesure sa vision du monde dans et par ses genres

Simon Hantaï : Pour Pierre Reverdy : Études (1969).

193

littéraires (épopée, poésie lyrique, roman courtois), par ses arts (roman et gothique), par sa musique (sacrée ou profane), mais déjà alors, elle accueillait au moins autant qu'elle donnait, métamorphosant en une synthèse originale les apports de Rome, de la Gaule, de la Germanie barbare, de Byzance, voire de l'Orient. Ensuite, résistant à la tentation nationaliste d'un repli sur sa différence, génératrice de sclérose, elle s'est ouverte aux influences de ses voisins : au XVIe siècle de l'Italie, au XVIIe de l'Espagne, au XVIIIe de l'Angleterre, au XIXe de l'Allemagne.

Elle demeure donc dans la ligne de sa tradition en faisant sienne une idée lancée par des pays non européens mais participant à la culture française, l'idée de francophonie (ou francité). Elle réunit, au cœur d'une même civilisation, des peuples que l'espace, la race, la religion devraient séparer : peuples de l'Afrique, noire et maghrébine, peuples d'Amérique (Québec), peuples d'Asie et d'Europe. Leur unanimité spontanée constitue un témoignage émouvant de la valeur supraraciale d'une civilisation millénaire qui, malgré les fautes humaines, trop humaines, a su maintenir intact et identifier au sien propre l'idéal de l'Humanité.

Le français... la parlure la plus délectable et la plus commune à toute gent.

BRUNETTO LATINI

(né en 1220, l'un des maîtres de Dante)

Ce verbe de la France, jailli d'une inépuisable inspiration, a eu toutes les audaces, en réalisant chaque fois tous les équilibres. Sa sûreté, sa limpidité, sa précision font l'admiration universelle.

ALBERT Ier, roi des Belges

Mots français, mots au clair parler de douce France,
Mots que je n'ai appris tard que pour vous aimer mieux,
Tels des amis choisis au sortir de l'enfance,
Mots qui m'avez du monde enseigné les merveilles,
Mots sur qui j'ai pâli, mots sur qui j'ai pleuré,
Mots français, tous les mots, les doux, les forts, les rudes,
Les mièvres, je vous aime, ô mots, avec ferveur...

HECTOR KLAT

Poète libanais

J'entends exprimer l'admiration de toute ma vie pour la littérature française, sa fière intellectualité, son inexorable critique de l'existence, sa brillante sécheresse, sa claire profondeur — ou sa clarté profonde —, sa misanthropie qui, pourtant, lorsqu'il le faut, n'abandonne jamais l'homme, jamais l'humanité .

THOMAS MANN

Romancier allemand

Beauté, clarté, solidité, trois attributs de la langue française, clé de la civilisation qui enveloppe le monde par la force de sa pensée.

ARTHUR ENGBERG

Ministre de l'Instruction Publique de Suède

Faits politiques, économiques et sociaux	Littérature

1894-1906 — Affaire Dreyfus.

1899-1906 — Bloc des gauches au gouvernement. Luttes anticléricales.
En 1904, la France et l'Angleterre décident de cesser leurs querelles et forment l'*Entente Cordiale* qui, en 1907, par l'adhésion de la Russie, devient la *Triple Entente*.

1906-1914 — On se préoccupe davantage de réalisations sociales, mais le rythme de celles-ci est moins rapide qu'en Allemagne ou en Angleterre.
Problème de la dénatalité (due en partie à une conception trop étroite de la famille, de l'épargne et de l'héritage).
Déjà alors contraste entre une économie florissante et une vie politique agitée et sans continuité.

1912 — *Lyautey* pacifie le Maroc.

1914-1918 — *Première guerre mondiale.* La Belgique (neutre) refuse le passage aux troupes allemandes. La France retrouve l'Alsace et la Lorraine, mais elle a eu 1 300 000 morts et d'énormes destructions. Fin de l'hégémonie de l'Europe.

1918 — ouvre l'*Ere des Techniques*, qui sera aussi, sur un plan plus profond, l'Ere de la *Quête de l'Homme*.

1919 — La France est isolée devant la solidarité anglo-saxonne (l'Angleterre voulant une Allemagne économiquement et militairement aussi forte que la France — politique d'équilibre).

1925 — Pacte de Locarno : effort de réconciliation franco-allemande.

1933-1934 — Crise du régime (scandales politiques et financiers). Renforcement des partis extrémistes.

1936-1938 — Gouvernement du Front Populaire : occupation d'usines, semaine de 40 heures. Parallèlement à la décadence du régime parlementaire, la situation économique, bonne jusqu'en 1929, empire jusqu'en 1939. La natalité diminue encore.

1938 — Après l'attaque de la Pologne, la France et l'Angleterre déclarent ensemble la guerre à l'Allemagne (3 septembre).

1940 — L'Allemagne envahit le Danemark, la Norvège, la Belgique, la France, etc. En France, le maréchal Pétain essaie de maintenir dans une partie du pays une certaine indépendance. En Angleterre, le général de Gaulle prend la tête de la résistance.

Juin 1944-1946 — *Gouvernement provisoire du général de Gaulle.* Réformes de structure : nationalisations, système de sécurité sociale élargi, droit de vote donné aux femmes, citoyenneté reconnue aux Musulmans d'Algérie, nouveau statut plus libéral aux anciennes « colonies » (*Union Française*), nationalisations, recherche des pétroles, etc.

1946 — *Quatrième République*
l'Assemblée constituante s'oppose au projet du général de Gaulle qui voulait un pouvoir exécutif fort (du type américain). Le général se retire de la vie politique. La France retombe dans l'instabilité ministérielle.

Avant la guerre de 1914

ROMAN

Même si quelques romanciers continuent de décrire l'aventure de l'évasion (*P. Loti, Alain-Fournier, Valéry Larbaud*), la plupart défendent une certaine *conception de la vie* : *Maurice Barrès, P. Bourget, A. France, Romain Rolland.*
En 1906, un groupe d'écrivains, dont *G. Duhamel* et *J. Romains*, fondent le mouvement *unanimiste* (expression des êtres collectifs : foule, ville, nation, continent, etc.).

POÉSIE

Quelques grands poètes *chrétiens* : *Ch. Péguy, Francis Jammes* et *Paul Claudel.* Néo-symbolisme et néo-romantisme avec *A. Samain, H. de Régnier, Verhaeren, Maeterlinck, la comtesse Anne de Noailles, P. Fort.*
Quelques poètes fantaisistes aussi : *Paul-Jean Toulet, Francis Carco,* etc., et surtout *Blaise Cendrars* et *Guillaume Apollinaire* (1880-1918) qui contribuent à la formation du surréalisme et du cubisme.

THÉÂTRE

Tendances diverses : romantique avec *Rostand*, naturaliste avec *J. Renard*, psychologique avec *Bataille* et *Bernstein*, d'idées avec *Fr. de Curel*, etc., comique avec *G. Feydeau, Tristan Bernard, Courteline, Flers et Caillavet*, en dehors de toute tradition avec *Alfred Jarry* (« Ubu Roi »). Mais le plus neuf est donné par l'œuvre dramatique de *Paul Claudel* (« L'Annonce faite à Marie ».)

PENSÉE

Bergson invite à faire confiance à l'intuition et à la vie, tandis que *Ch. Maurras*, royaliste, défend son idée de la raison claire et de l'ordre dit classique.

Après la guerre de 1914

ROMAN

André Gide (1869-1951) et surtout *Marcel Proust* (1841-1922) renouvellent le genre du roman, le premier exaltant la sincérité et la vie, le second essayant de ressaisir dans la sensation le passé vécu, et analysant avec minutie le monde des passions et la société distinguée de son temps. Après eux, le roman absorbe toujours plus de domaines : il devient témoignage de vie spirituelle avec *Mauriac, Bernanos, Jouhandeau, Julien Green*, quasi-autobiographique et exaltation du surhomme avec *Montherlant*, rustique avec *Giono* et *Ramuz*, analyse de l'âme féminine avec *Colette*, social ou populaire avec *Barbusse, Céline* et *Marcel Aymé*. Mais la conception du roman la plus neuve est due à *Saint-Exupéry* et surtout à *André Malraux*. Le roman n'est plus seulement psychologique (c.-à-d. expliquant toutes les actions par des raisons ou par un déterminisme) mais encore métaphysique et peinture de la liberté. « La Condition humaine » de Malraux (1933) montre les hommes

Architecture, sculpture, peinture, etc.	Musique

L'ARCHITECTURE

L'architecture, à la fin du XIXe siècle, réagit contre l'éclectisme : le « style moderne », assez artificiel lui aussi (= formes florales et courbes irrégulières) se forme dans l'ensemble de l'Europe. Ensuite on revient au volume et à la structure. En 1914, le béton armé permet une architecture nouvelle qu'utilisent les frères *Perret*, *Arretche* (reconstruction de Saint-Malo), etc., et surtout *Le Corbusier*.

LA SCULPTURE

La sculpture avec *Bourdelle* (1861-1929) prend une expression plus architecturale qu'avec Rodin, mais c'est à *Aristide Maillol* (1861-1944) et à *Charles Despiau* (1874-1946) que revient surtout l'honneur d'avoir rendu à la sculpture sa grandeur et sa noblesse par les moyens qui lui sont propres. Avec eux la sculpture cesse de rivaliser avec la peinture : l'influence des grands arts pré-helléniques se remarque aussi dans l'œuvre de *Marcel Gimond, Couturier, Pompon* (animalier), etc.
Dans le sens de la déformation cubiste : *Henri Laurens, Duchamps, Villon* — ou dans un sens abstrait, *Arp, Brancusi, Giacometti, H. G. Adam*, etc.

LA PEINTURE

En peinture quelques-uns continuent de façon originale la tradition impressionniste : *Vuillard* (1868-1940) et surtout *Pierre Bonnard* (1867-1947). Avec *Maurice Denis* (1870-1943) on les réunit, malgré leurs différences, sous l'appellation « les nabis ».
Mais les deux tendances les plus importantes sont celles des fauvistes et des cubistes.
Le *fauvisme* (vers 1905) recherche l'intensité et l'expression, rejetant la nuance pour la couleur pure et l'orchestration colorée. *Henri Matisse* (1869-1953) exprime la joie de vivre et, après lui, chacun avec son tempérament et sa vision originale, *Marquet, Dufy, Van Dongen, Derain*. *Georges Rouault* (1871-1958) se détache de tous par la profondeur de sa spiritualité et son accent des âges de foi. Dans cette même ligne ou restés assez « figuratifs » : *Marchand, Tal Coat, Robin, Gischia*.
Le *cubisme* (vers 1908) analyse et reconstruit le réel selon ses formes permanentes (et non comme l'impressionnisme, dans ses aspects fugitifs). Comme pour le fauvisme, du reste, il admet nombre d'interprétations : conquête de la troisième dimension, libération de la forme. Il est fondé par *Georges Braque* (né 1882) (qui a passé par le fauvisme et crée des natures mortes, construites en couleurs rares et justes) et par *Picasso* (né en 1881). Autres artistes réunis dans l'« atmosphère » du cubisme : *Juan Gris, Gleizes, Metzinger, Gromaire, La Fresnaye, Léger, Lhote, Villon, Marie Blanchard*. Plus abstraits : *Picabia, Delaunay, Bazaine, Manessier, Singier, Estève, Lapicque, N. de Staël, Dewasne, Mathieu*.
Les peintres naïfs : *Henri Rousseau*, dit le Douanier (1844-1910), *Utrillo, Séraphime, Bombois*, etc.
Les surréalistes qui projettent sur la toile leurs rêves et leurs angoisses : *Tanguy, André Masson* (à ses débuts), etc.

TAPISSERIE

Renaissance vers 1940 : *Jean Lurçat, Dom Robert, Couteau*, etc.

Le mouvement commencé par César Franck et la Schola Cantorum se continue avec Witkoswky, Albéric Magnard, Déodat de Séverac, qui chante le Languedoc, Canteloube qui s'inspire du folklore de l'Auvergne, du Breton Paul Le Flem, de Samazeuilh, d'Albert Roussel qui s'inspire parfois des musiques orientales, et bien d'autres.
Sous l'influence directe de Debussy, A. Caplet et Ph. Gaubert.
Formés par Fauré et ayant épanoui chacun leur personnalité propre : Roger-Ducasse et Louis Aubert au style dépouillé, Florent Schmitt, plus rude, Georges Enesco, Jacques Ibert, influencé aussi par Ravel.
Maurice Ravel lui-même (1875-1937), au génie plus incisif et peut-être plus moderne que Debussy (voir tableau de l'époque précédente).
Après la guerre de 1914 se forme le Groupe des Six, qui réagit contre l'élégance aristocratique et l'esthétique impressionniste de Fauré et de Debussy, non moins que contre la musique allemande. Les Six — Darius Milhaud, Arthur Honegger, Francis Poulenc, Georges Auric, Germaine Tailleferre, Louis Durey — veulent remplacer la nuance par la couleur (voir phénomène parallèle dans l'histoire de la peinture et de la littérature) : on se veut populaire, voire barbare, mais dans la santé et l'intelligence constructive, nette, précise. En fait le seul vrai « fauve » du groupe est Milhaud. Honegger est plus harmoniste et traditionnel (« retour à Bach »), Auric plus malicieux, Francis Poulenc plus charmant, etc.
Il y aurait encore bien des tendances à signaler : la néo-romantique (avec Fl. Schmitt, M. Delannoy et Jaubert), Satie et l'école d'Arcueil et enfin le groupe *Jeune-France* aussi hétérogène que le groupe des Six et aux directives encore plus vagues : retour à l'humain et au lyrisme. Olivier Messiaen en est le compositeur le plus marquant et d'une curiosité universelle : rythmique indoue, instruments nouveaux, retour aux modes liturgiques et exotiques, tout cela est mis par lui au service d'une inspiration mystique. Tendances analogues dans l'œuvre d'André Jolivet. Enfin nombre de musiciens « inclassables » : Paul Dukas qui allie Debussy au classicisme, Delvincourt, etc. Signalons encore l'École de Paris, groupe de compositeurs étrangers ayant subi diverses influences françaises et se connaissant : Strawinsky, Martinu, Hassanyi, etc.
A l'avant-garde et à la recherche de moyens d'expression nouveaux : Varèse, Boulez et parmi les autres, Maurice Le Roux, Serge Bigg.
Dès 1948, la musique concrète (avec Pierre Schaeffer, Pierre Henry, etc.).

LE CINÉMA

Le cinéma prend de nos jours en France la forme d'un grand art grâce à des réalisateurs remarquables, sachant à la fois construire un film avec sobriété et goût, et lui faire exprimer sans grandiloquence une idée humaine : *René Clair, Jacques Becker, Julien Duvivier, Marcel Carné, Robert Bresson, Jean Delannoy, Jean Renoir, Abel Gance, Godard, Truffaut*.

Faits politiques, économiques et sociaux	Littérature

Orientation dans le camp atlantique (Pacte atlantique). Organisation européenne du charbon et de l'acier (O.E. C.A.). Préparation d'un marché commun pour six nations européennes et, éventuellement, d'une zone européenne de libre échange.
28 sept. 1958 Référendum donnant 80 % des voix au général de Gaulle.

1958 — *Cinquième République*.
Retardé par l'occupation allemande, le développement économique de la France n'a pas d'abord suivi le rythme de celui des autres pays. Ses traditions séculaires (mode de l'agriculture, petites entreprises familiales, etc.) rendent plus pénibles ou empêchent les conversions indispensables.

1960 — Les Etats africains, jadis dépendants de la France, sont rendus à l'indépendance.

1962 — L'Algérie devient indépendante.
Le budget est équilibré, la France accepte et même accélère les étapes du Marché Commun. Elle se retire de l'O.T.A.N. et pratique une politique visant à rétablir les contacts avec l'Est. Son économie est prospère, ses réserves abondantes mais, en mai 1968, de graves manifestations d'étudiants et d'ouvriers qui estiment n'avoir pas suffisamment bénéficié des progrès réalisés, entraîne une grave crise financière et des élections anticipées.

Juin 1968 — Le parti du Général De Gaulle l'emporte et obtient la majorité absolue.

30 avril 1969 — A la suite d'un référendum défavorable à sa politique, le Général de Gaulle démissionne.

Juin 1969 — Georges Pompidou est élu président de la République.

s'engageant librement et totalement dans et pour un monde tragique, dans et par l'histoire. Malraux indique ainsi la voie que suivront ceux qu'on appelle « existentialistes » : *Jean-Paul Sartre, Simone de Beauvoir, Albert Camus*, etc.

POÉSIE

Mouvement surréaliste, dirigé par *André Breton* avec *Aragon, Paul Eluard* et d'autres plus ou moins influencés par Breton, comme *Supervielle, Cocteau, Jouve, H. Michaux, Joe Bousquet, Yves Bonnefoy*.
Dans la tradition symboliste, *Paul Valéry* et, dans une inspiration universaliste, voisine de celle de Claudel mais non catholique, *Saint-John Perse*.

THÉÂTRE

Les grands problèmes de l'homme sont également agités sur la scène : avec grâce et élégance par *Giraudoux* qui les transpose souvent de ses romans, avec violence par *Anouilh* et *Salacrou*. *Jacques Copeau*, le grand animateur du théâtre contemporain, veut un « théâtre de sincérité », vigoureux et concentré.
Néanmoins les genres traditionnels sont brillamment illustrés eux aussi : comédie légère avec *Sacha Guitry*, satirique avec *M. Pagnol*, romantique avec *Achard*, intimiste avec *Vildrac, Géraldy*, etc.

Après la guerre de 1940

Anti-théâtre d'E. Ionesco, de S. Beckett.
La guerre oblige les écrivains à *s'engager*. L'héroïsme, chez quelques-uns, s'accompagne de pessimisme : la philosophie de l'absurde (au sens soit psychologique, soit métaphysique du terme) domine dans les années qui suivent la guerre avec les œuvres de *J. Gracq, H. Michaux, Camus* (« L'Etranger » 1942) et *Sartre* (« Huisclos » 1944), etc. Ensuite l'accent devient moins désespéré : on se préoccupe de construire. *A. Camus* publie « La Peste » (1947), roman plus positif et plus social que « l'Etranger ». *René Char* chante la communion des hommes de même que *Saint-John Perse*; *Montherlant* présente ses drames héroïques « La Reine Morte » (1946) et « Le Maître de Santiago » (1948).
Le roman connaît une nouvelle technique avec les écrivains dits « néo-réalistes » : *Michel Butor, Nathalie Sarraute, Robbe-Grillet*. Ils s'attachent à décrire l'objet en lui-même (*tout* objet) avec la minutie que mettait Marcel Proust à détailler ses sensations.
De même que l'existentialisme avait contribué à créer un nouveau type de roman ou une nouvelle méthode critique, l'un et l'autre visant à rejoindre le projet fondamental des personnages ou des écrivains, de même vers 1960 la doctrine ou du moins la méthode structuraliste influence la littérature, surtout critique. Charles Maurron, Roland Barthes, Starobinski, L. Goldmann, Doubrovsky renouvellent, chacun à sa façon, la critique des œuvres littéraires.
Dans l'ordre de la pensée philosophique, diffusion de la pensée universaliste du Père Teilhard de Chardin et des structuralismes de Levy-Strauss, de M. Foucault, d'Althusser, de Lacan, etc.

LISTE DES ILLUSTRATIONS

Les chiffres entre crochets renvoient à la page d'une illustration.

Entrée de Jeanne d'Arc à Chinon en 1429. Détail de tapisserie du xvᵉ siècle. Musée Historique d'Orléans. [36]

Danse macabre. Fragment de la fresque de la Chaise-Dieu, Haute-Loire. xvᵉ siècle. *Photo Archives Photographiques, Paris*. [37]

Marie-Cléophas et la tête du Christ, détail de la Mise au tombeau de Moissac. xvᵉ siècle. *Photo Yan, Toulouse*. [37]

Jean Fouquet (1420-1480), portrait de Charles VII, roi de France 1422-1461. Musée du Louvre. *Photo Archives Photographiques, Paris*. [38]

Nicolas Froment (mort en 1486), tête du roi René d'Anjou. Détail du triptyque de la cathédrale Saint-Sauveur, à Aix-en-Provence. *Photo Archives Photographiques, Paris*. [38]

Le Maître de Moulins, la Vierge, détail de la Nativité (1480). Musée Rolin à Autun. *Photo Archives Photographiques, Paris*. [39]

Jean Fouquet (1420-1480), portrait en émail par lui-même (vers 1450). Musée du Louvre. [39]

Façade ouest de la cathédrale de Rouen, le grand gâble (début xvᵉ siècle). *Photo Roger-Viollet, Paris*. [40]

La cour d'honneur de l'Hôtel de Jacques Cœur, à Bourges (vers 1450). *Photo Archives Photographiques, Paris*. [41]

Voûte en gothique flamboyant de l'oratoire de l'abbé Jacques d'Amboise à l'hôtel de Cluny, à Paris. *Photo Archives Photographiques, Paris*. [41]

François Villon (1431-1461). Illustration de l'édition Pierre Lavet (1489). [41]

Les Pendus, épitaphe de Villon. Page de l'édition Pierre Lavet (1489). [42]

Dame jouant au « positif ». Détail de la tapisserie de la Dame à la Licorne. Fin xvᵉ-début xvıᵉ siècle. Musée de Cluny, Paris. *Photo Archives Photographiques, Paris*. [43]

Jean Clouet (vers 1485-1545), portrait de François Iᵉʳ, roi de France 1515-1547. Musée du Louvre. *Photo Archives Photographiques, Paris*. [46]

François Rabelais (vers 1494-1553), portrait de l'école française (détail). Musée de Châteauroux. *Photo Archives Photographiques, Paris*. [47]

La bataille de Marignan (1515). Détail de bas-relief du tombeau de François Iᵉʳ par Pierre Bontemps, à l'Abbaye de Saint-Denis. *Photo Giraudon, Paris*. [48]

Concert aux jours de la Renaissance. Détail de tapisserie du début du xvıᵉ siècle. Collection privée, Paris. *Photo Giraudon, Paris*. [48]

Jean Goujon (vers 1510-1567), Mise au tombeau. Musée du Louvre. *Photo Giraudon, Paris*. [49]

Jean Calvin (1509-1564), portrait par auteur du xvııᵉ siècle (détail). Bibliothèque du Protestantisme. *Photo Lauros-Giraudon, Paris*. [49]

Michel Colombe (1430-1515), Les gisants du tombeau de François II, duc de Bretagne et de son épouse Marguerite de Foix à la cathédrale de Nantes (1502-1507). *Photo Archives Photographiques, Paris*. [50]

Château de Fontainebleau, la cheminée monumentale de la Galerie Henri II, avec peintures de Niccolo dell'Abbate. *Photo Giraudon, Paris*. [51]

Château de Blois (1515-1524), l'escalier de l'aile François Iᵉʳ. Œuvre de Jacques Sourdeau. *Photo Archives Photographiques, Paris*. [51]

Palais du Louvre, façade de Pierre Lescot (mort en 1547) et Pavillon de l'Horloge, de Jacques Lemercier (1585-1654). *Photo Archives Photographiques, Paris*. [51].

Château de Blois (1515-1525). *Aéro-photo Giraudon, Paris*. [53]

Château de Chambord (1519-1540). *Aéro-photo Giraudon, Paris*. [53]

Décoration de la galerie François Iᵉʳ à Fontainebleau (1553), par Le Rosse (peintre florentin, 1494-1541). *Photo Editions TEL, Paris*. [54]

Corneille de Lyon (né après 1574), portrait de Clément Marot (1495-1544). Musée du Louvre. *Photo Lauros-Giraudon, Paris*. [54]

Paysans aux champs. Miniature d'un manuscrit appartenant à la famille Gouffier. xvıᵉ siècle. Musée de Cluny, Paris. *Photo Giraudon, Paris*. [55]

Gabrielle d'Estrées (1573-1599) dans son bain. Ecole française xvıᵉ siècle. Musée Condé, Chantilly. *Photo Archives Photographiques, Paris*. [58]

Jean Goujon (1510-1567), Nymphes de la Fontaine des Innocents, à Paris. *Photo Giraudon, Paris*. [59]

Roland de Lassus (1532-1594). Musée du Louvre. *Photo Giraudon, Paris*. [60]

Pierre de Ronsard (1524-1585). Bibliothèque Nationale. *Photo Giraudon, Paris*. [60]

Joachim du Bellay (1522-1560). Bibliothèque Nationale, Paris. *Photo Giraudon, Paris*. [60]

La Danse, peinture de maître inconnu de l'école de Fontainebleau (deuxième moitié du xvıᵉ siècle). Collection MM. Wildenstein & Co., London. [61]

François Clouet (1550-1571), (dessin) François II, roi de France 1559-1560. Bibliothèque Nationale, Paris. *Photo Giraudon, Paris*. [61]

Château de Chenonceaux (1512), construit sous François Iᵉʳ et embelli par Philibert Delorme (aile sur la rivière). *Aéro-photo Giraudon, Paris*. [62]

Germain Pilon (né en 1537), statues funéraires d'Henri II et de Catherine de Médicis (1565-1570). Basilique de Saint-Denis. *Photo Archives Photographiques, Paris*. [63]

Th.-Agrippa d'Aubigné (1552-1630). *Collection Viollet, Paris*. [63]

Michel de Montaigne (1533-1592), gravure frontispice d'une édition — xvııᵉ siècle — de ses œuvres (détail). Musée Condé, Chantilly. *Photo Giraudon, Paris*. [64]

Henri IV, roi de France (1598-1610). Dessin par Pierre Dumonstier. *Photo Archives Photographiques, Paris*. [65]

Le massacre de la Saint-Barthélemy (24 août

1572). Bibliothèque Nationale, Paris. *Photo Giraudon*, Paris. [65]
Georges de la Tour (1593-1652), saint Sébastien pleuré par sainte Irène. Musée Kaiser Friedrich, Berlin. *Photo Archives Photographiques, Paris*. [68]
Le cardinal de Richelieu (1585-1642), dessin par Claude Mellan (1598-1688). Musée National de Stockholm. *Photo Archives Photographiques, Paris*. [70]
Franz Hals, portrait de Descartes (1596-1650). *Photo Bulloz, Paris*. [70]
Pierre Corneille (1606-1684), gravure par Michel Lasne (1644). *Photo Larousse, Paris*. [71]
Philippe de Champaigne (1602-1674), portrait (détail) de Blaise Pascal (1523-1662). Collection Moussoli. *Photo Bulloz, Paris*. [72]
L'abbaye de Port-Royal des Champs. Musée Magdeleine de Boulogne, Versailles. *Photo Giraudon, Paris*. [72]
Place des Vosges à Paris (1605-1612), par Claude de Châtillon. *Photo Roger Viollet, Paris*. [73]
Saint Vincent de Paul (1581-1660), portrait par Simon de Tours. *Photo Giraudon, Paris*. [73]
Pierre Mignard (1610-1695), portrait du Cardinal Mazarin (1602-1661). Musée Condé, Chantilly. *Photo Giraudon, Paris*. [74]
Nicolas Poussin (1594-1665), Les Bergers d'Arcadie (1638-1639). Musée du Louvre. *Photo Archives Photographiques, Paris*. [75]
Simon Guillain (1581-1658), statue de Louis XIII, roi de France (1610-1643). Musée du Louvre. *Photo Archives Photographiques, Paris*. [76]
Claude Gelée, dit Le Lorrain (1600-1682), Ulysse remet Chryséis à son père. Musée du Louvre. *Photo Archives Photographiques, Paris*. [76]
Louis Le Nain (1593-1648), Repas de paysans, détail de la Mère. Musée du Louvre. *Photo Giraudon, Paris*. [77]
Jacques Callot (1592-1635), La maraude, scène des Horreurs de la guerre. Bibliothèque Nationale, Paris. *Photo Archives Photographiques, Paris*. [77]
Le siècle de Louis le Grand. Frontispice gravé par Gérard Edelinck (1649-1707). *Photo Larousse, Paris*. [80]
Charles Le Brun (1619-1690) (pastel) Louis XIV, roi de France 1661-1715. Musée du Louvre. *Photo Archives Photographiques, Paris*. [81]
Jean Racine (1639-1699), portrait par Jean-Baptiste Santerre (1658-1717). *Photo Lauros-Giraudon, Paris*. [82]
Pierre Mignard (1610-1695), portrait (détail) de Molière (1622-1673). Musée de Chartres. *Photo Larousse, Paris*. [82]
Farceurs français et italiens au Théâtre Royal, tableau de 1670. Comédie-Française, Paris. *Photo Giraudon, Paris*. [83]
Jean de La Fontaine (1621-1695). Statue par Pierre Julien. XVIIIᵉ siècle. *Photo Archives Photographiques, Paris*. [83]

Dôme des Invalides, à Paris (1680-1708), par Jules Hardouin-Mansart (1646-1706). *Photo Roger-Viollet, Paris*. [84]
Place Vendôme, à Paris (1646-1708). *Photo Roger-Viollet, Paris*. [84]
Philippe de Champaigne (1602-1674), portrait (détail) de Jean-Baptiste Colbert (1619-1683). Musée de Reims. *Photo Studio Dumont, Paris*. [84]
Palais de Versailles, façade du château, côté jardins. *Photo Archives Photographiques, Paris*. [85]
Palais de Versailles, intérieur de la chapelle. *Photo Archives Photographiques, Paris*. [85]
François Girardon (1628-1713), détail du Bassin des Nymphes, à Versailles. *Photo Archives Photographiques, Paris*. [86]
Antoine Coysevox (1640-1689), buste de Jean-Baptiste Lulli (1632-1689). Château de Versailles. *Photo Giraudon, Paris*. [87]
Louis XIV visitant les ateliers des Gobelins, détail d'une tapisserie. *Photo Archives Photographiques, Paris*. [87]
François Boucher, Le déjeuner. Le peintre et sa famille (1739). Musée du Louvre. *Photo Archives Photographiques, Paris*. [90]
Montesquieu (1689-1755), médaille de Lassier (1753). Bibliothèque Nationale. *Photo Bulloz, Paris*. [91]
Le grand Trianon, à Versailles (1687), par Jules Hardouin-Mansart (1646-1708). *Photo Archives Photographiques, Paris*. [92]
Jean-Antoine Watteau (1648-1721), La leçon d'amour (vers 1716). Musée National de Stockholm. [93]
Maurice Quentin de la Tour (1704-1788), portrait (détail) de Voltaire jeune (1694-1778). Musée de Versailles. *Photo Archives Photographiques, Paris*. [93]
Place Stanislas à Nancy, par Emmanuel Héré (1705-1763). *Photo Archives Photographiques, Paris*. [94]
Place de la Concorde, à Paris, par Ange-Jacques Gabriel (1757-1772). *Photo Giraudon, Paris*. [95]
Guillaume Coustou (1677-1746), un des chevaux de Marly, statue de la Place de la Concorde, Paris. *Photo Archives Photographiques, Paris*. [95]
Jean-Baptiste Van Loo (1684-1745), portrait de Marivaux (1684-1763). *Photo Hachette, Paris*. [96]
Jean-Marc Nattier (1685-1766), portrait d'une fille de Louis XV (détail). Musée de Bordeaux. *Photo Bulloz, Paris*. [96]
François Couperin (1668-1733), portrait de l'École française XVIIIᵉ siècle. Musée de Versailles, *Photo Giraudon, Paris*. [97]
Jean-Philippe Rameau (1638-1764), portrait attribué à Jean-Baptiste Chardin (1699-1779). Collection particulière, Stockholm. Photo Sveriges Radio, Stockholm. [97]
Crédit est mort. Gravure allégorique populaire sur la chute du système de Law. Bibliothèque Nationale. *Photo Giraudon, Paris*. [97]

La nature étalait à nos yeux toute sa magnificence. Illustration pour l'Emile, de Jean-Michel Moreau le Jeune (1741-1814). *Photo Bibliothèque Nationale, Paris.* [100]

Honoré Fragonard (1732-1806), portrait (détail) de Denis Diderot (1713-1784). Collection particulière. *Photo Archives Photographiques, Paris.* [101]

Allan Ramsay (1713-1784), portrait de Jean-Jacques Rousseau (1712-1778). National Gallery, Edinburgh. *Photo Giraudon, Paris.* [102]

Jean-Antoine Houdon (1741-1828), buste de Voltaire (1694-1778). Musée Fabre, Montpellier. *Photo Archives Photographiques, Paris.* [103]

Le petit Trianon à Versailles, par Ange-Jacques Gabriel (1698-1782). *Photo Archives Photographiques, Paris.* [104]

Maurice Quentin De la Tour, pastel de Louis XV, roi de France (1710-1774). Musée du Louvre. *Photo Giraudon, Paris.* [105]

L'assemblée au salon. Gravure de Dequevauviller, d'après une gouache de Nicolas de Lavreince (1737-1807). *Photo Larousse, Paris.* [105]

François Boucher (1703-1770), Cupido. Wallace Collection, London. *Photo Anderson-Viollet, Paris.* [106]

Honoré Fragonard (1732-1806), les Baigneuses, détail. Musée du Louvre. *Photo Archives Photographiques, Paris.* [106]

Jean-Baptiste Greuze (1725-1805), le fils ingrat (vers 1765). Musée du Louvre. *Photo Giraudon, Paris.* [107]

Edme Bouchardon, La fontaine de la rue de Grenelle, à Paris. L'automne, détail de bas-relief (1739-1745). *Photo Giraudon, Paris.* [108]

Jean-Baptiste Chardin (1699-1779), La Blanchisseuse. Richmond, Gallery Cook. *Photo Anderson-Giraudon, Paris.* [109]

Jean-Baptiste Pigalle (1714-1785), Le peuple, figure du monument de Louis XV, à Reims. *Photo Giraudon, Paris.* [109]

François Rude (1784-1855), détail de La Marseillaise, à l'Arc de Triomphe, à Paris (1833-1836). *Photo Giraudon, Paris.* [112]

Antoine-Jean Gros (1771-1835). Bonaparte à Arcole. Musée du Louvre. *Photo Archives Photographiques, Paris.* [113]

Le cabinet de l'Abdication, au château de Fontainebleau. *Photo Giraudon, Paris.* [114]

L'église de la Madeleine, à Paris, par Pierre Vignon (1763-1828). *Photo Giraudon, Paris.* [115]

Anne-Louis Girodet de Roussy, dit Girodet-Trioson (1767-1824), portrait de René de Chateaubriand (1768-1848). Musée de Versailles. *Photo Archives Photographiques, Paris.* [115]

Victor Hugo (1802-1885), gravure (1829) par Achille Devéria (1800-1857). Bibliothèque Nationale, Paris. *Photo Giraudon, Paris.* [116]

Honoré de Balzac (1799-1850), d'après Boulanger. Bibliothèque Nationale, Paris. *Photo Giraudon, Paris.* [116]

Anne-Louis Girodet de Roussy, dit Girodet-Trioson (1767-1824). Les funérailles d'Atala (1808). Musée du Louvre. *Photo Archives Photographiques, Paris.* [117]

Alfred de Musset (1810-1857), pastel de Ch. Landelle. Musée de Versailles. *Photo Archives Photographiques, Paris.* [117]

Jacques-Louis David (1748-1825), Les Sabines interrompant le combat entre les Romains et les Sabins (1799). Musée du Louvre. *Photo Archives Photographiques, Paris.* [118]

Le 28 juillet 1830. La Liberté guidant le peuple, peinture par Eugène Delacroix (1798-1863). Musée du Louvre. *Photo Archives Photographiques, Paris.* [119]

Théodore Géricault (1791-1824), Le Radeau de la Méduse (détail). Musée du Louvre. *Photo Giraudon, Paris.* [120]

Jean-Auguste-Dominique Ingres (1780-1867), la petite Baigneuse (1828). Musée du Louvre. *Photo Giraudon, Paris.* [120]

Gustave Courbet (1819-1877), portrait d'Hector Berlioz (1803-1869). Musée du Louvre. *Photo Archives Photographiques, Paris.* [120]

Jean-Baptiste Corot (1796-1875), Souvenir de Mortefontaine (1864). Musée du Louvre *Photo Archives Photographiques, Paris.* [121]

Frédéric Chopin (1810-1849), peinture par Delacroix. *Photo Giraudon, Paris.* [121]

Honoré Daumier (1808-1879), Le wagon de 3e classe, détail (vers 1856). Metropolitan Museum, New York. *Photo Archives Photographiques, Paris.* [124]

Jean-Baptiste Carpeaux (1827-1875), La Sainte-Alliance des peuples (1848). *Photo Archives Photographiques, Paris.* [125]

Louis Boulanger (1808-1867), portrait de Gustave Flaubert (1821-1880). *Photo Bulloz, Paris.* [126]

Gustave Courbet (1818-1877), Les casseurs de pierres (1851). *Photo Giraudon, Paris.* [127]

Edouard Manet (1832-1883), portrait d'Emile Zola (1840-1902). Musée du Louvre. *Photo Archives Photographiques, Paris.* [127]

Théodore Rousseau (1812-1867), Paysage, Mare et Lisière de bois. Musée du Louvre. *Photo Archives Photographiques, Paris.* [128]

Edmond et Jules de Goncourt, gravure (1835) par Paul Gavarni (1804-1866). *Photo Giraudon, Paris.* [128]

Jean-François Millet (1814-1875). Les glaneuses (1857). Musée du Louvre. *Photo Archives Photograp..iques, Paris.* [129]

L'Opéra de Paris (1861-1875), par Charles Garnier (1825-1898). *Photo Archives Photographiques, Paris.* [130]

Napoléon III. *Photo Viollet, Paris.* [130]

Le Sacré-Cœur à Paris (1876). Œuvre de Paul Abadie (1812-1884). *Photo Roger-Viollet, Paris.* [131]

L'exposition universelle à Paris en 1889. La Tour Eiffel. *Photo Roger-Viollet, Paris.* [131]

J.-B. Laurens, Portrait de Charles Gounod

(1863). Musée des Beaux-Arts, Carpentras. *Photo Giraudon, Paris.* [132]
Jean-Baptiste Corot (1796-1875), Souvenir d'Italie (détail). Musée du Louvre. *Photo Roger-Viollet, Paris.* [132]
Buste de Georges Bizet (1838-1875). *Photo Harlingue-Viollet, Paris.* [133]
Frédéric Bazille (1841-1870), Réunion de famille (1867). Musée du Louvre. *Photo Archives Photographiques, Paris.* [133]
Camille Pissarro (1830-1903), Effet de nuit, Boulevard Montmartre (1897). Partie centrale. National Gallery, Londres. [134]
Rodin, La cathédrale (1908). Musée Rodin, Paris. *Photo Adelys, Paris.* [135]
Gustave Courbet, Charles Baudelaire (1848). Musée de Montpellier. *Photo Giraudon, Paris.* [136]
Edouard Manet (1832-1883), Stéphane Mallarmé (1842-1898). Musée du Louvre. *Photo Giraudon, Paris.* [137]
Verlaine et Rimbaud à Londres, dessin par Félix Régamey (1872). *Photo Roger-Viollet, Paris.* [137]
Camille Pissarro (1830-1903), par lui-même (1873). Musée du Louvre. *Photo Giraudon, Paris.* [138]
Théodore Fantin-Latour (1836-1904), Le coin de table (1872). *Photo Archives Photographiques, Paris.* [138]
Claude Monet (1840-1926), Impression, soleil levant (1874). Musée Marmottan, Paris. [139]
Claude Monet (1840-1926), par lui-même (1917). Musée du Jeu de Paume, Paris. *Photo Giraudon, Paris.* (139]
Auguste Renoir (1841-1919), Les grandes Baigneuses (esquisse 1895). Musée Masséna, Nice. *Photo de Lorenzo, Thorenc.* [140]
Auguste Renoir (1841), par lui-même (1910). *Photo Roger-Viollet, Paris.* [140]
Paul Cézanne (1839-1906), par lui-même. Musée du Louvre. *Photo Giraudon, Paris.* [141]
Paul Cézanne (1839-1906), Les Baigneuses. *Photo Roger-Viollet, Paris.* [141]
Paul Gauguin (1848-1903), D'où venons-nous ? Que sommes-nous ? Où allons-nous ? (1898) (détail). Museum of Fine Arts, Boston. Arthur Gordon Tompkins, Residuary Fund. [142]
Paul Gauguin (1848-1903), par lui-même. Museo de Arte, Sao Paulo. *Photo Giraudon, Paris.* [142]
Vincent Van Gogh (1853-1890), La nuit étoilée (1889). Museum of Modern Art, New York. *Photo Giraudon, Paris.* [143]
Vincent Van Gogh (1853-1890), par lui-même (1888). *Photo Roger-Viollet, Paris.* [143]
Georges Seurat (1859-1891), Le Chahut. Rijksmuseum Kröller-Müller, Otterlo. [144]
Georges Seurat (1853-1891), Jeune Fille. Museum of Modern Art, New York. *Photo Giraudon, Paris.* [144]
Henri de Toulouse-Lautrec (1864-1901), Le Moulin Rouge, La Goulue et sa Mère. *Photo Harlingue-Viollet, Paris,* [145]
Henri de Toulouse-Lautrec (1864-1901), par

lui-même (1880). Musée d'Albi. *Photo Roger-Viollet, Paris.* [145]
Edgar Degas (1834-1917), Danseuse sur la scène (vers 1876). Musée du Luxembourg, Paris. *Photo Giraudon, Paris.* [146]
Edgar Degas (1834-1917), par lui-même. *Photo Harlingue-Viollet, Paris.* [146]
Claude Debussy (1862-1918), portrait par Blanche. Collection Viollet, Paris. *Photo Roger-Viollet, Paris.* [147]
Odilon Redon (1840-1916), L'Armure. The Metropolitan Museum of Fine Arts, New York. Harris Brisbane Dick Fund, 1947. [147]
Antoine Bourdelle (1861-1929), Héraklès archer (1909). Musée Waldemarsudde du Prince Eugène, Stockholm. *Photo Riwkin, Stockholm.* [150]
Jean-Pierre Laurens (1875-1932), portrait (détail) de Charles Péguy en pèlerin (1870-1914). *Photo Harlingue-Viollet, Paris.* [152]
Maurice Denis (1870-1943), Hommage à Cézanne (1900). Musée National d'Art Moderne Paris. *Photo Archives Photographiques, Paris.* [152]
Henri Rousseau, dit « Le Douanier » (1844-1910), La Guerre (1894). Musée du Louvre. *Photo Archives Photographiques, Paris.* [153]
Paul Claudel (1868-1955), portrait par un Chinois. Musée Berthe, Paris. [153]
Paul Signac (1863-1935), Seine, Grenelle (1899). Collection particulière, Helsinki. *Photo Giraudon, Paris.* [154]
Portrait de Henri Bergson (1859-1941). *Photo Albin-Guillot-Viollet, Paris.* [154]
Pierre Bonnard (1867-1947), L'après-midi bourgeoise (vers 1902-1903). *Photo Galerie Bernheim-Jeune, Paris.* [155]
Paul Niclausse, buste de Paul Valéry (vers 1930). Musée des Beaux-Arts, Alger. *Photo Giraudon, Paris.* [155]
Henri Matisse (1869-1954), Pastorale. Musée Municipal d'Art Moderne, Paris. *Photo Lauros-Giraudon, Paris.* [156]
Georges Braque (né en 1881), Piano et guitare (1909-10) (détail). Museum of Modern Art, New York. Mrs Simon Guggenheim Fund. *Photo Giraudon, Paris.* [157]
Pablo Picasso (né en 1881), Les demoiselles d'Avignon (1907). Museum of Modern Art, New York. [157]
André Derain (1880-1954), La Famille (1910). Collection Babeux. *Photo Giraudon, Paris.* [158]
P.-Albert Laurens (1870-1934), portrait (détail) d'André Gide (1924). Musée National d'Art Moderne, Paris. *Photo Archives Photographiques, Paris.* [158]
Emile Gallé (1806-1904), Coupe. *Photo Roger-Viollet, Paris.* [159]
Marie Laurencin (1885-1956), Apollinaire au milieu de ses amis (1909). *Photo Harlingue-Viollet, Paris.* [160]
Station du métropolitain « Hôtel de Ville » à Paris. *Photo Lauros-Giraudon, Paris.* [160]
Antoine Bourdelle (1861-1929), buste d'Anatole France (1919). Musée National d'Art

Moderne, Paris. *Photo Archives Photographiques, Paris.* [160]

Gustave Moreau (1826-1898), Salomé dansant. Musée Gustave Moreau, Paris. *Photo Giraudon, Paris.* [161]

Maurice Ravel (1875-1937). Collection Viollet. *Photo Roger-Viollet, Paris.* [161]

Georges Rouault (né en 1871), La sainte face (1933). Musée National d'Art Moderne, Paris. *Photo Archives Photographiques, Paris.* [162]

Aristide Maillol (1861-1944), « La Pensée » femme assise. Cour de l'hôtel de ville à Perpignan. *Photo Lauros-Giraudon, Paris.* [163]

Max Ernst (né en 1891), Au rendez-vous des amis (1922). Collection Lydia Bau, Hambourg. *Photo Giraudon, Paris.* [163]

Le groupe de Six (1952). *Photo Lipnitzki, Paris.* [164]

Yves Tanguy (1900-1955), Fonds de mer (1927). Collection Marc Dornes. *Photo Roger-Viollet, Paris.* [165]

André Masson (né en 1896), Jeunes Filles dans une basse-cour (1947). Galerie Louise Leiris, Paris. [165]

Marcel Gromaire (né en 1892), La Guerre (1925). Musée du Petit Palais, Paris. *Photo Giraudon, Paris.* [166]

Roger de la Fresnaye (1884-1925), Usine à La Ferté-sous-Jouarre (détail). Saint Germain. Collection P. Veia. *Photo Giraudon, Paris.* [166]

Fernand Léger (1881-1957), Le grand déjeuner (1921). Museum of Modern Art, New York. Mrs Simon Guggenheim Fund. [167]

Charles Despiau (1881-1957), Femme assise. Musée d'Art Moderne, Stockholm. *Photo Sveriges Radio, Stockholm.* [167]

Musée National d'Art Moderne, Paris. *Photo Archives Photographiques, Paris.* [168]

Intérieur de l'église Sainte-Jeanne-d'Arc à Nice (1936). Œuvre de J. Droz. *Photo Giletta* [168]

Henri Navarre, Sainte Thérèse devant les Béatitudes, détail de sculpture au tympan de l'église des Closiers à Montargis. [168]

Intérieur de la chapelle de Vence, Alpes-Maritimes. Décorations d'Henri Matisse (1869-1954). *Photo Hélène Adant, Paris.* [169]

Le petit prince et le renard, dessin par Antoine de Saint-Exupéry. [169]

Antoine de Saint-Exupéry (1900-1944), photographie. *Photo Roger-Viollet, Paris.* [170]

Maria Blanchard (1881-1932), L'enfant à la glace. Musée National d'Art Moderne, Paris. *Photo Giraudon, Paris.* [171]

Bernard Buffet (né en 1928), Les Goncourt reçoivent (1956). Collection Madame E. David, Paris. *Photo Marc Vaux, Paris.* [172]

Marcel Proust (1871-1922). Photographie. Collection Viollet, Paris. [172]

Georges Bernanos (1883-1948), Photographie. *Photo Harlingue-Viollet, Paris.* [173]

Raoul Dufy (1877-1953), Côte d'Azur. *Photo Roger-Viollet, Paris.* [173]

Alfred Manessier (né en 1911), Pour la Fête du Christ-Roi (1952). Museum of Modern Art, New York. [174]

Henri Laurens (1885-1954), L'Espagnole (1939). Musée d'Art Moderne, Stockholm. *Photo Sveriges Radio, Stockholm.* [175]

André Malraux (né en 1901). *Photographie par Roger Parry.* [177]

Robert Delaunay (1885-1941), Air, fer et eau (1937). Musée de Grenoble. *Photo Marc Vaux, Paris.* [178]

Marcel Duchamp (né en 1887), Le cœur volant, roto-relief (1935). [178]

Henri Michaux (né en 1899), Dessin Mescalinien (1955). Collection de l'artiste. Le Point Cardinal, Paris. Jacqueline Hyde, Paris. [179]

Jacques Villon (né en 1875), Mon âme est une infante (1948). Collection privée, Paris. *Photo Editions Louis Carré, Paris.* [179]

Jean Fautrier (1898-1964), La Juive (1943-45). Musée Municipal d'Art Moderne, Paris. *Photo Giraudon, Paris.* [180]

Francis Gruber (1912-1948), Job. Collection particulière. *Photo Giraudon, Paris.* [180]

Jean Dewasne (né en 1921), L'Astre à faces (1958). *Photo Marc Vaux, Paris.* [181]

Le Corbusier (né en 1887), Notre-Dame-du-Haut (ensemble sud) à Ronchamp (1954). *Photo Roger-Viollet, Paris.* [182]

Palais de l'Unesco à Paris (1958). *Photo Roger-Viollet, Paris.* [183]

Jean-Paul Sartre (né en 1905). *Photographie par Fritz Eschen, Londres.* [183]

Albert Camus (1913-1960), vers 1958. Collection Viollet, Paris. *Photo Roger-Viollet, Paris.* [184]

Guillaume Gillet (né en 1912), Le Pavillon de France à l'exposition internationale de Bruxelles en 1958. *Photo Roger-Viollet, Paris.* [184]

Guillaume Gillet (né en 1912), Pivot central du Pavillon de France à Bruxelles. *Photo Roger-Viollet, Paris.* [185]

Teilhard de Chardin (1881-1955). *Photo Harlingue-Viollet, Paris.* [185]

Michel Foucault (né en 1928), *Photo Marc Garanger.* [186]

Germaine Richier (1904-1959), La Spirale. Galerie Creuzevault, Paris. [187]

Nicolas de Stael (1914-1955), Le Fort d'Antibes (1955). *Photo Jacques Dubourg, Paris.* [188]

Edouard Pignon (né en 1905), La grande Jetée (1959-60). Galerie de France, Paris. [188]

Gustave Singier (né en 1909), Le Quatuor (1947). Paris, Musée National d'Art Moderne, Paris. *Photo Giraudon, Paris.* [189]

Charles Lapicque (né en 1898), Manœuvres de nuit sur le Pimodan (1958). *Photo Jacques Dubourg, Paris.* [189]

Jean Peyrissac (né en 1895), Sculpture mobile (1949). *Photo Maywald, Paris.* [190]

Antoine Pevsner (né en 1886), Monde (Bronze, 1947). Collection de l'artiste. [190]

Naum Gabo, Construction linéaire. *Photo Giraudon, Paris.* [190]

J.-P. Seissier, Boule lumineuse (1967). *Photo Giraudon, Paris.* [191]

Vieira da Silva (née en 1908) Le Temps (1969). *Photo Giraudon, Paris.* [191]

Michel Seuphor (né en 1901), Annapurna II (1965). Collection de l'artiste. *Photo Giraudon, Paris.* [192]

Jean Arp, Outre vase (1965). Collection M. Seuphor, Paris. *Photo Giraudon, Paris.* [192]

Jean Picart Le Doux (né en 1902), L'Oiseleur (Aubusson Carton 1946). Musée National d'Art Moderne. Paris. *Photo Giraudon, Paris.* [193]

Simon Hantaï, Pour Pierre Reverdy, Etudes, janvier-mai 1969. *Photo Edouard Babet, Paris.* [193]

Achevé
d'imprimer le 15 juin 1970
dans les ateliers de l'imprimerie
Hérissey a Évreux (Eure)
il a été tiré cent
exemplaires hors commerce
numérotés de I a C.